Hé Lullo

Jiskefet

Hé Lullo

2000
DE BEZIGE BIJ
AMSTERDAM

Inhoud

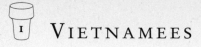

1 Vietnamees

Het is rond drie uur 's nachts. Kamphuijs komt dronken een rommelige studentenflat binnen. Kerstens ligt op de bank te slapen.

KAMPHUIJS **Van Binsbergen! Kerstens!**

Gaat in de wasbak pissen. Roept Kerstens wakker.

Hé, Kerstens!!

KERSTENS **Tsjesses, ggg.**

KAMPHUIJS **Hé, lullo.**

KERSTENS **Kamphuijs, lul.**

KAMPHUIJS **Lig je te slapen, man?**

KERSTENS **Jezus lul, wat doe je nou?... Lullo... Hoe laat leven we?**

KAMPHUIJS **Kwart voor drie, gek.**

KERSTENS   Godverdomme, kwart voor drie.

KAMPHUIJS   Jezus, man, lig je te slapen?

KERSTENS   Ik ben in slaap gevallen. Ik heb televisie
gekeken. Ik ben in slaap gevallen.

KAMPHUIJS   Jezus, lullo.

KERSTENS   Waar ben je geweest, lul?

KAMPHUIJS   Ik ben met, eh… *(Rochelt.)* Ik ben met
Alice uit geweest. Ken je Alice?

KERSTENS   Alice in Wonderland?

KAMPHUIJS   Ja, Alice in Wonderland, ja.

KERSTENS   Alice met de wonderdoos. Heb je g…

*Kamphuijs onderbreekt zijn zin door te
rochelen.*

Heb je geneukt, Kamphuijs?

KAMPHUIJS   Nee man, juist niet. Daar gaat het juist om.
Moet jij een biertje?

KERSTENS   Geef me een pilsje.

*Kamphuijs loopt naar de koelkast en pakt
twee pilsjes.*

KAMPHUIJS   Weet je, het is niet te geloven, maar je kent
Alice?

KERSTENS   Die Alice?

KAMPHUIJS   Ja, díe Alice.

KERSTENS   Ja.

KAMPHUIJS   Ja, die Jan Pieter heeft er nog mee geneukt.

KERSTENS   Ja, ja.

KAMPHUIJS   Hoe heet die... Diederik liet zich altijd
pijpen, weet je wel... voor geld.

KERSTENS   Ja.

KAMPHUIJS   Door haar.

KERSTENS   Heeft ze je gepijpt?

KAMPHUIJS   Leuk wijf. Wat?

KERSTENS   Heeft ze je gepijpt?

KAMPHUIJS   Nee, man. Lul nou niet zo slap.

KERSTENS   Waarom niet, lul?

KAMPHUIJS   Ik denk, op een gegeven moment, hè, weet
je wel vanmiddag, ik dacht: weet je wat ik
doe? Ik neem Alice mee uit, hè, maar op
een leuke manier, weet je wel. En niet
meteen neuken neuken.

KERSTENS   Heb je haar niet geneukt? Nee.

KAMPHUIJS   Makkelijk, kan iedereen. Ehhh, dus ik
denk: nou leuk, laat ik eerst ehh… gewoon
een wandelingetje in het park, of zo. In het
zonnetje, leuk.

KERSTENS   En heb je haar geneukt?

KAMPHUIJS   Nee, man. Laat me nou even… Laat me
nou even uitleggen.

KERSTENS   Ik luister toch man. Kamphuijs, lul nou
niet zo slap, kom even terzake, man.

KAMPHUIJS   Hé Kerstens.

KERSTENS   Heb je haar geneukt of heb je haar niet
geneukt?

KAMPHUIJS   Ben ik je iets aan het vertellen of ben ik je
niets aan het vertellen?

KERSTENS   Oké.

KAMPHUIJS   Oké, nou, ik loop met haar in het park, dat
is leuk leuk, en op een gegeven moment
denk je van: nou, dat is leuk.

KERSTENS   Dat is leuk.

KAMPHUIJS   Dus ik zeg, we gaan wat eten, hè.

KERSTENS   Ja.

KAMPHUIJS   Ja, want dat is, dat is leuk. Want er zit hier
verderop, ik weet niet of je het kent, zit er

zo dat Vietnameesje, weet je wel.

KERSTENS O, dat Vietnameesje.

KAMPHUIJS Een hele leuke Vietnamees.

KERSTENS Met dat gekke, leuke, geile dingetje daar
achter...

KAMPHUIJS Ja, dat geile dingetje.

KERSTENS ... die loempiaatjes zit te rollen.

KAMPHUIJS Ja, precies, ja, dat geile... Dus ik denk, nou
dat is leuk met Alice, hè, ik neem haar mee,
maar ehh...

KERSTENS Ja, ja.

KAMPHUIJS Ik denk op een gegeven moment...

KERSTENS Die heb ik een keer geneukt.

KAMPHUIJS Wat?

KERSTENS Die van het Vietnameesje.

KAMPHUIJS Heb jij die een keer geneukt?

KERSTENS Ach ja.

KAMPHUIJS Ik dacht... ik dacht dat dat een beetje een
pijpertje was, of niet?

KERSTENS Ja, is ze ook wel. Die Vietnameesjes zijn
van die snelle pijpertjes.

KAMPHUIJS Ja precies.

KERSTENS À la Vietnamiet.

KAMPHUIJS We zitten op een gegeven moment te eten,
Vietnamees, hartstikke goed, hartstikke...
heet. Lekker eten.

KERSTENS O ja, jij dacht heet, en toen heb je d'r
geneukt?

KAMPHUIJS Nee man, laat me nou even vertellen, oké.
Ik, ehh, ga met Alice mee naar huis, alles
leuk, koek en ei, je weet wel. Wat gezopen
natuurlijk, weet je wel, lekker, gewoon
lekker, leuk, ehh, dus ik met Alice op een
gegeven moment, nou ja, je weet hoe het
gaat...

KERSTENS Ja.

KAMPHUIJS Je kent me, hé, hé, hé, hé, hé.

KERSTENS Ja, ha ha ha, ja Kamphuijs, natuurlijk.

KAMPHUIJS We liggen op een gegeven moment in bed,
ja.

KERSTENS Ja.

KAMPHUIJS Ja.

KERSTENS Ja.

KAMPHUIJS Hè, enne, op een gege... Nou ja, je weet

hoe ik ben, hè, befkoning de eerste, weet je
wel, ik denk, hé hé hé hé hé.

KERSTENS   Ja, ik snap hem al. *(Rochelt en spuugt.)*

KAMPHUIJS   *(Rochelt en spuugt.)* Nee, maar ja, nu komt
het.

KERSTENS   Ja lul.

KAMPHUIJS   Nee, lullo, nee.

KERSTENS   Kamphuijs, man, zo ken ik je weer, LUL!

KAMPHUIJS   Ouwe lullo pikkestein, ja, moet je luisteren,
ik lig, ehh, we liggen, ik denk, ik daal af, hè,
naar de grotten, zal ik maar zeggen, naar
die liflafjes daar onder, weet je wel, de
shoarmaslagerij even uit… ehh…

KERSTENS   Goh.

KAMPHUIJS   Dus ik ben op een gegeven moment bezig,
weet je wel, clitoris als een sinaasappel,
weet je wel…

KERSTENS   Ja, ja.

KAMPHUIJS   Dus ik ben lekker bezig, laat ik het zo
zeggen.

KERSTENS   Beetje sappen centrifugeren, hè Kamphuijs.

KAMPHUIJS   Ja, precies.

KERSTENS   Dat is jou wel toevertrouwd, lul.

KAMPHUIJS   Ja, ik ben die lollies een beetje aan het
            uitlikken, enne, op een gegeven moment,
            wat denk je, ik voel die buik zo'n beetje
            aanspannen, ik denk, hé, da's een
            komertje, weet je wel, maar wat denk je?

KERSTENS   Nou.

KAMPHUIJS   *(Maakt diarree-geluid.)* In één keer die
            Vietnamees naar buiten.

KERSTENS   Jezus.

KAMPHUIJS   Ik dacht dat ik gek werd. Een lúcht, jonge,
            een lúcht! Da's echt niet normaal, hoor,
            hé. Ik ga dus even m'n mond spoelen,
            snap je.

KERSTENS   Godverdomme.

KAMPHUIJS   Ik voel, ik proef nog de smaak, weet je wel.

KERSTENS   Dat heb jij nou weer, Kamphuijs.

KAMPHUIJS   *(Rochelt en spuugt.)*

KERSTENS   In één keer leeg?

KAMPHUIJS   Ja, dus ik denk hé hallo.

KERSTENS   Kon je nog wegkomen?

KAMPHUIJS   Ja, nee, meteen m'n kleren aan en weg-

wezen, weet je wel, en dat wijf kan voor mij
de pot op.

KERSTENS Goh zo.

KAMPHUIJS Ja, de pot op, jezus man. Wat heb jij
gedaan?

KERSTENS Wat?

KAMPHUIJS Heb je hier gewoon een beetje liggen pit-
ten, de hele avond. Heb jij nog geneukt?

KERSTENS Geneukt, vanavond?

KAMPHUIJS Heb je geneukt?

KERSTENS Nee, ik heb niet geneukt.

KAMPHUIJS Nee, niet geneukt.

KERSTENS Ik heb nagedacht.

KAMPHUIJS O, nagedacht.

KERSTENS Ja.

KAMPHUIJS Nou, moet kunnen.

KERSTENS Over m'n boek.

KAMPHUIJS Ah, je boek. Hoe is het ermee?

KERSTENS Nou, gaat goed.

KAMPHUIJS Goed.

KERSTENS Gaat lekker. Lekker over nagedacht.

KAMPHUIJS Goed.

KERSTENS Ik denk dat ik morgen ga beginnen.

KAMPHUIJS Heel goed.

KERSTENS 't Zit nu gewoon goed.

KAMPHUIJS Ja.

KERSTENS Je weet, het verhaal dat ik jou vertelde,
van mijn vader, nou ik heb bedacht, hij gaat
op de eerste bladzijde dood, want het is
gewoon een lul, hij gaat op de eerste bladzijde dood, maar dat werkt dus niet. Want
in het tweede hoofdstuk ga ik dan Mariëtta
neuken, maar dat is heel duidelijk, dat ze
dat ook goed herkent, dat ze heel goed
kan zien dat ik haar pagina's lang aan het
neuken ben...

KAMPHUIJS Neuken, ja, neuken gewoon.

KERSTENS ... de bitch weet je wel, dat het er echt goed
pagina's lang van afdruipt dat zij het is,
weet je wel. Als ik het dan omdraai, en gewoon die vader van mij een tijdje door laat
leven, de lul, dat-ie dat leest, maar dat hij
zich ook goed herkent, nou jongen, in alle
boeken gaan tegenwoordig vaders dood.
Gelul.

KAMPHUIJS En ga je Mariëtta…

*Van Binsbergen komt onder veel kabaal de
kamer binnen en smijt zijn jas neer.*

KAMPHUIJS Hé Van Binsbergen.

KERSTENS Wat maak jij nou, Van Binsbergen?

VAN BINSBERGEN Ja kut man!

KAMPHUIJS Wat kut?

VAN BINSBERGEN Nou alles naar de klote gewoon. Jongens,
help me even. Dit is…

KAMPHUIJS Wat is er?

VAN BINSBERGEN Nou ja, ik bedoel ehh… Ik heb morgen dus
ehh… Nou ja goed, die hele studio is dus in
de fik gevlogen, had ik vier maanden geleden,
had ik dus al helemaal afgesproken met
dat meisje dat jullie laatst, dat meisje uit
Schagen dat jullie toen nog zo'n heerlijke
beurt hebben gegeven, heb ik dus ontzettend
gelazer met die ouders gehad, hè, die
hier even auditie kwam doen. Dus jullie zijn
mij eigenlijk wel even iets verschuldigd.

KERSTENS EN
KAMPHUIJS Nou ehh… we zijn jou altijd wel wat verschuldigd, Van Binsbergen, die kennen we
nou wel.

VAN BINSBERGEN Hoe is het met dat mens van boven, is ze nog ziek?

KERSTENS EN
KAMPHUIJS Wat?

VAN BINSBERGEN Dat mens van boven?

KERSTENS Die is hartstikke doodziek. Ze vroeg of we een beetje zachtjes konden doen. Volgens mij doen wij voor deze tijd van de ochtend zachtjes genoeg.

VAN BINSBERGEN Ik zou zeggen, ehh, er staat iemand op de gang, en die kan je eigenlijk alles wel… Jansen, kom even hier, hé, je moet het even vertellen.

Jansen komt binnen.

Wij hebben morgen voor studenten-tv, dit is Jansen, wij hebben morgen voor studenten-tv, die hele studio was gepland en helemaal naar de klote, we moeten eigenlijk voor studenten-tv morgen, nou iets ontdekt, met studenten-tv morgen even een promootje maken. De studio is helemaal naar de klote, dus.

KAMPHUIJS Hé, wacht even. Van Binsbergen, wacht, nee hè.

VAN BINSBERGEN Als je dit, dit spul niet door laat gaan, dan hak jij over een jaar je kop eraf en denk je: heb ik dit laten schieten?

KAMPHUIJS   **Hé, Van Binsbergen.**

VAN BINSBERGEN   **Echt jongens. Het is vijf minuten.**

KAMPHUIJS   **Dus niet nu hier, hè. Wat heb je daar buiten staan?**

Loopt naar de deur. Van Binsbergen houdt hem tegen.

Nee kom op, het is drie uur 's nachts.

VAN BINSBERGEN   **Vijf minuutjes, even met de camera, even een promootje draaien.**

Het lukt Kamphuijs toch de deur open te maken en hij ziet een stel muzikanten op de gang staan.

KAMPHUIJS   **Jessus nee hè, Van Binsbergen, niet hier, man.**

De Raggende Manne komen binnen en spelen 'Poep in je hoofd'.

2   ESCORT

Van Binsbergen zit met een jonge vrouw,
Daniëlle, op de bank.

VAN BINSBERGEN   **Ik heb overal gewoond. Paraguay, Mexico,
Brazilië.**

DANIËLLE   **O ja?**

VAN BINSBERGEN   **Uruguay.**

DANIËLLE   **Uruguay? En waar, waar in Uruguay?**

VAN BINSBERGEN   **Ehh… Als je Uruguay binnenkomt,
meteen links en dan naar boven, in
een hut.**

DANIËLLE   **O ja. Hé, en Brazilië ook?**

VAN BINSBERGEN   **Ja, dat is een heel erg, heel erg mooi land,
dus ehh…**

DANIËLLE   **Weet je heel veel van indianen bijvoorbeeld?**

VAN BINSBERGEN Ja, mijn moeder, die ehh, die beschermt indianen, dus ehh... Indianen worden enorm gediscrimineerd ook hè.

DANIËLLE Jij weet echt heel veel ervan af, hè. Leuk.

VAN BINSBERGEN Ja. Da's eh, ach ja, die drinken ook heel erg veel. Wil je iets drinken?

DANIËLLE Ja lekker, ja lekker, wat heb je?

VAN BINSBERGEN Ik heb ehh... Ik heb tequila, dat is een erfenis van mijn vader, die ehh... Als je tequila drinkt, dan ehh, onderin zit een wurm. Als je die opeet, dan ehh, word je heel geil. *Rent naar de keuken en pakt een fles tequila.*

DANIËLLE O ja?... Kan je 'm vinden?

VAN BINSBERGEN Ja, ze hebben de wurm, ze hebben de wurm er dus al uitgehaald, klootzakken. Eens zien. Even kijken, hoor.

DANIËLLE Ah, lukt wel.

VAN BINSBERGEN Schooiers, dat zijn mijn kamergenoten die die wurm eruit hebben gehaald. Dan vergeet ik altijd glazen. *(Schenkt twee glazen in.)* Heb jij ook ergens anders gewoond ooit, of niet?

DANIËLLE Nee, nee, nee, altijd hier, maar interessant, zo ver weg, ja.

VAN BINSBERGEN   Een stevige boerenmeid.

DANIËLLE   *(Lacht.)* Ja, ja. Nou, proost.

VAN BINSBERGEN   Cheers. Wil je tegen niemand vertellen dat ik dus voor je gedanst heb, of zo.

DANIËLLE   Nee, maar eh, ga je niet nog wat laten zien?

VAN BINSBERGEN   Ja oké, maar dat moeten we even… dus de basispassen.

DANIËLLE   Ja, ja, nee, oké, ik hou mijn mond.

VAN BINSBERGEN   Oké.

DANIËLLE   Oké.

VAN BINSBERGEN   Ook tegen het dispuut. Dat is dus een opzwepend ritme op een gegeven moment, dus je krijgt, krijgt…
Hij zet muziek aan en gaat dansen.

DANIËLLE   *(Lacht.)* En…?

VAN BINSBERGEN   't Is eh… 't Is een vrij erotisch genot.

DANIËLLE   Ja, ja, ik zie het. 't Is enorm erotisch.

VAN BINSBERGEN   Dus dan krijg je: een twee vier vijf zes acht twee acht drie vijf…

DANIËLLE   Nou, je doet het ontzettend goed, hé.

VAN BINSBERGEN Vind je het leuk, ja?

DANIËLLE Wij samen?

VAN BINSBERGEN Ja?

DANIËLLE Nou, heel leuk.

Van Binsbergen en Daniëlle gaan samen dansen en vallen op de bank neer.

VAN BINSBERGEN Heb je zin om met mij…

DANIËLLE Maar ehh… Je kan het goed, echt waar, echt waar.

VAN BINSBERGEN Nou ehh…. Heb je zin om te neuken?

DANIËLLE Wat?

Kerstens en Kamphuijs komen zingend de trap op en betreden de kamer.

KAMPHUIJS Wacht even, wacht even Kerstens, ik geloof dat er een heel bataljon Chinees leger naar buiten moet.

Kamphuijs kotst in de gootsteen.

KERSTENS Gewóón eruit laten komen, gewoon rustig… Shit, dat is zonde van die garnalen, lul.

Kerstens gaat erboven staan en pist op het hoofd van Kamphuijs.

KAMPHUIJS Gek, niet op mijn hoofd. Gek, sodemieter
nou op.

KERSTENS Zeik niet man. Gaat je haar van groeien,
lul.

KAMPHUIJS O man. Hé Van Binsbergen, we zijn thuis.

VAN BINSBERGEN Hoi, hé, hoe is het.

DANIËLLE Hai.

VAN BINSBERGEN Hebben jullie lol gehad?

KAMPHUIJS Hé.

DANIËLLE Hé.

KAMPHUIJS Hé.

KERSTENS Hallodio.

VAN BINSBERGEN Dit is Nicole. Nicole, dit is ehh…

DANIËLLE Daniëlle.

KAMPHUIJS Van Binsbergen, mán.

VAN BINSBERGEN Daniëlle, ik was even… Kamphuijs en
Kerstens.

DANIËLLE Hai.

KAMPHUIJS Hai, hai.

DANIËLLE **Hai.**

KAMPHUIJS **Kamphuijs.**

DANIËLLE **Daniëlle.**

KERSTENS **Hai, Kerstens.**

DANIËLLE **Zeg jongens...**

KAMPHUIJS **Van Binsbergen, mán.**

KERSTENS **Lol gehad, jongens?**

DANIËLLE **Hebben jullie ook een toilet in huis? Even m'n neus eh...**

KAMPHUIJS **Op de gang.**

KERSTENS **Op de gang.** *(Wijst naar de gootsteen.)* **Deze is al vol. Hier, op de gang.**

DANIËLLE **Ik ben zo terug, ja?**

KAMPHUIJS **Oké.**

Daniëlle loopt de kamer uit.

KAMPHUIJS **Hé, Van Binsbergen, man, lullo!**

VAN BINSBERGEN **Ja, wat is er?**

KAMPHUIJS **Zit jij een beetje... Wij naar het dispuut, weet je wel, en jij een beetje hier eh... Wat is dat?**

KERSTENS ... thuis een feestje te bouwen.

VAN BINSBERGEN ... Ja ik weet het niet, eh, de laatste tijd gaan ze als witjes, dus. Ik hoef maar dit te doen en aan elke vinger één, man.

KERSTENS Lul.

VAN BINSBERGEN Ja, het staat in de sterren, of zo. Ik weet niet wat het is.

KERSTENS Hoe kom je aan dat spul, Van Binsbergen?

VAN BINSBERGEN Nou, dit is nog een beetje dat je denkt: ik kan nog wel mooier spul krijgen ook.

KAMPHUIJS O, jezus man, dat valt me van je mee, zeg.

VAN BINSBERGEN Ja, da's ehh...

KAMPHUIJS Nee, serieus.

VAN BINSBERGEN Ja, ik weet niet hoe het komt. Het is de laatste tijd een beetje ehh... het gebeurt dan gewoon eens.

KAMPHUIJS Te gek goed.

VAN BINSBERGEN Ja. Ik vond het zelf ook.

KAMPHUIJS Hé, wil jij een biertje, trouwens?

VAN BINSBERGEN Ja, geef me een biertje.

KAMPHUIJS Ja, zal ik een biertje voor je pakken?

VAN BINSBERGEN   Pak een biertje. Zo dus…

KAMPHUIJS   Jezus, man, godverdomme.

VAN BINSBERGEN   Gaan jullie zo weer weg, of niet?

KAMPHUIJS   Kerstens, bier?

VAN BINSBERGEN   Hè.

KERSTENS   Ik wil ook een pilsje, ja.

KAMPHUIJS   Jezus man, Van Binsbergen.

KERSTENS   Top, hoor.

VAN BINSBERGEN   Ja, ja.

KAMPHUIJS   Lul.

VAN BINSBERGEN   Ontzettende aardige meid trouwens, hè.

KAMPHUIJS   Is dat zo?

VAN BINSBERGEN   Ja, ontzettend aardige meid.

KERSTENS   Heb je nog…

VAN BINSBERGEN   Haar vader heeft ook bij de Shell gezeten.

KAMPHUIJS   O, bij de Shell gezeten?

VAN BINSBERGEN   Ja, ja.

KERSTENS   Van Binsbergen, even to the point.

VAN BINSBERGEN Ja.

KERSTENS Heb je haar al geneukt?

VAN BINSBERGEN Ja, nou, geneukt, geneukt...

KAMPHUIJS Nou, geneukt?

VAN BINSBERGEN Een beetje het koppie erin en er een beetje
lafjes tegen aan gehangen.

KAMPHUIJS Niet geneukt?

VAN BINSBERGEN Nou, neuken...

KAMPHUIJS Niet geneukt?

VAN BINSBERGEN ... Nee, lafjes tegen aan gehangen.

KERSTENS Ga je d'r neuken, Van Binsbergen? Je gaat
haar neuken vanavond, of niet.

VAN BINSBERGEN Ahh, wat is dat nou voor onzin, natuurlijk.
Als ik haar leuk genoeg vind, dan wil ik wel
met haar neuken.

KAMPHUIJS Nee, jij gaat haar neuken. Nee, jij gaat
haar neuken.

KERSTENS Hij gaat haar neuken.

KAMPHUIJS Jij gaat haar neuken.

KAMPHUIJS Hé, Van Binsbergen, één ding... ehh, ik
weet niet, ehh, volgens mij is het nogal een

ehh… Ik bedoel, kan je dat aan?

VAN BINSBERGEN Ah man, wacht even.

KAMPHUIJS Nee, kan jij dat hebben?

VAN BINSBERGEN Hoe bedoel je, kan ik dat hebben?

KERSTENS Heb jij je voorbereidingen getroffen, laten
we het zo zeggen.

KAMPHUIJS Precies, ja, hé nou ja.

VAN BINSBERGEN Hoe… hoe bedoel je nou man, een beetje…

KAMPHUIJS Nou, je voorbereidingen.

VAN BINSBERGEN Dat doe ik toch allemaal. Ik ben gezond en
sterk. Dat lukt me dus wel om d'r even een
veeg te geven, ik bedoel eh…

KERSTENS Ja, maar als je dat ziet, die veegvragende
ogen van haar…

VAN BINSBERGEN Ja.

KERSTENS Die draait hem er zo in een keer bij jou af,
hoor.

KAMPHUIJS O, Van Binsbergen. Ja jezus man, die
draait hem er in één keer af, echt waar.

VAN BINSBERGEN Ja.

KAMPHUIJS Ja, echt waar.

VAN BINSBERGEN Ja, nou ja, goed.

KAMPHUIJS Nee, echt waar.

VAN BINSBERGEN Nou goed jongen, je….

KAMPHUIJS Weet je wat je eigenlijk… Weet je wat je
eigenlijk zou moeten doen, even hoor, just
between me and you, volgens mij moet jij
even (*Zacht mompelend.*) een poppertje
nemen.

VAN BINSBERGEN Hè?

KAMPHUIJS Wat? Een poppertje. Wat, een poppertje,
toch.

VAN BINSBERGEN Een poppertje?

KERSTENS Luister maar naar Kamphuijs. Die heeft er
verstand van.

KAMPHUIJS Poppertje.

VAN BINSBERGEN Wat is een poppertje, man?

*Kerstens en Kamphuijs snuiven om uit te
leggen wat een poppertje is.*

KERSTENS Wat dacht je dan dat zij aan het doen was,
haar neus poederen zeker? Goh, die gaat
straks vierentwintig uur achter mekaar
door en dan hangt die leuter van jou op
half zeven, sta je mooi voor lul.

VAN BINSBERGEN Zeg, maar zij gebruikt geen drugs.

KAMPHUIJS Tsjesses man, nou nou.

VAN BINSBERGEN Jij gaat me niet zeggen dat zij drugs
gebruikt?

KAMPHUIJS Wat denk je dan?

VAN BINSBERGEN Man, ze is toch niet gek, man.

KAMPHUIJS Dat ze d'r haar aan het natmaken is, ofzo.
Dat ze een enorme bui aan haar kut had
hangen, of zo, dat ze even naar achteren
moet.

KERSTENS Ze is haar hele neustussenschot aan het
bijplamuren, hoor, echt waar.

VAN BINSBERGEN Zij gebruikt geen drugs, kom, geen drugs.

KERSTENS Tuurlijk ja. Je moet gewoon even een poppertje nemen...

VAN BINSBERGEN Te gek.

KERSTENS Echt waar, dan staat die hele...

VAN BINSBERGEN Nee zeg, ik heb toch geen drugs nodig om
met een vrouw naar bed te gaan. Wat is dat
nou voor onzin.

KAMPHUIJS Van Binsbergen, weet je wat jij moet doen?
Jij moet het niet doen, en je moet gewoon
vanavond met die vrouw, in bed, enorm

afgaan, dat moet je doen. Ja, ja.

KERSTENS Doe je dát.

KAMPHUIJS Doe je dát.

VAN BINSBERGEN Enne, waar koop je die poppertjes?

KAMPHUIJS Nou, hier twee straten verderop, bij die nichtenkit.

VAN BINSBERGEN Ja zeg hé, kom op man, ik ga toch niet die nichtenkit in. Kurk in je reet wie er meedeed, ja nou.

KAMPHUIJS Jezus man. Kerstens gaat toch met je mee man, die loopt zo naar binnen.

VAN BINSBERGEN Wat?

KERSTENS Ik ga even met je mee.

KAMPHUIJS Kerstens. Die loopt zo naar binnen, die wandelt zo naar binnen.

VAN BINSBERGEN Dan blijf ik buiten en dan ga jij maar halen. Ik heb alleen geen geld.

KAMPHUIJS O, hier.

*Kamphuijs geeft Van Binsbergen geld.
Daniëlle komt binnen.*

DANIËLLE Hai.

KAMPHUIJS Niet alles, allemaal opmaken, niet allemaal opmaken. Het is mijn laatste geld.

DANIËLLE Gaan we weg?

KAMPHUIJS Hoi, Daniëlle.

KERSTENS Wij gaan even bier halen, ehh, bier halen. We zijn door het bier heen.

DANIËLLE Ben je zo terug?

Daniëlle zoent Van Binsbergen.

VAN BINSBERGEN Ik ben zo terug. Let een beetje op hem, hè.

DANIËLLE Wel weer terugkomen.

VAN BINSBERGEN En je handjes thuis. Ik ken je.

KAMPHUIJS Hé, je kent me.

VAN BINSBERGEN Ja, hé, je moet met je poten eraf blijven.

KERSTENS Hé, Kamphuijs, ik haal genoeg flesjes voor een poosje, je weet wel.

KAMPHUIJS Hé Kerstens, ouwe pik, hè hè.

Kerstens en Van Binsbergen gaan de kamer uit.

KAMPHUIJS Hai.

DANIËLLE Hai, hai.

KAMPHUIJS Hoe is het?

DANIËLLE Goed.

KAMPHUIJS Gaat het goed met je?

DANIËLLE Ja.

KAMPHUIJS Heeft ehh... Van Binsbergen jou al een lekker glaasje wijn gegeven?

DANIËLLE Nou, niet echt, nee.

KAMPHUIJS Geen wijn, hè, nee.

DANIËLLE Nee.

KAMPHUIJS Dom van hem, hè.

DANIËLLE Ja. Heb je het?

KAMPHUIJS Ik heb hier nog een flesje staan, zeg.

DANIËLLE Heerlijk.

KAMPHUIJS Dat is ook gek. Hou je van wijn?

DANIËLLE Ja, heerlijk.

KAMPHUIJS Heb je een beetje verstand van wijn, of niet?

DANIËLLE Nou, niet echt, nee.

KAMPHUIJS Ohh.

DANIËLLE Jij?

KAMPHUIJS Nee, ik ook niet. Hé, maar leuk, wat doe je?

DANIËLLE Ohh, ik eh... ik studeer.

KAMPHUIJS Ohh, studeer je?

DANIËLLE Ja, psychologie.

KAMPHUIJS Te gek leuk. Wat studeer je?

DANIËLLE Psychologie.

KAMPHUIJS Psychologie? Dat is leuk.

DANIËLLE Ja, dat is heel interessant. Enne, jij?

KAMPHUIJS Wa?

DANIËLLE Studeer jij?

KAMPHUIJS Ja, ik studeer ook.

DANIËLLE O ja. Wat?

KAMPHUIJS Wat?

DANIËLLE Hè? Nee niks, laat maar.

KAMPHUIJS Nou, ik ben bezig met een scriptie die ik...
Je weet wel, hè.

DANIËLLE Ja, ja, ja, ja. Bijna klaar?

KAMPHUIJS Weet je dat jij hele mooie ogen hebt?

DANIËLLE O ja?

KAMPHUIJS Heeft iemand dat wel eens tegen jou
gezegd?

DANIËLLE Nou nee, nog nooit.

KAMPHUIJS Nee, nog nooit?

DANIËLLE Weet je dat jij ook hele mooie ogen hebt?

KAMPHUIJS O ja?

DANIËLLE Echt waar, ja echt waar.

KAMPHUIJS Hé dank je. Een glaasje, ik moet misschien
een glaasje pakken.

DANIËLLE Daar.

KAMPHUIJS Kijk hier. Hé, enne, iets heel anders, ehh…

DANIËLLE Ja?

KAMPHUIJS … ehh, die Van Binsbergen hè, hoe ehh,
wat ehh, hoe ehh, hoe zit dat precies? Vind
je het een leuke jongen?

DANIËLLE Nou ja, wel aardig. Ik ken hem nog niet zo
goed.

KAMPHUIJS Een beetje saai, toch.

DANIËLLE O ja?

KAMPHUIJS Vind je hem niet een beetje saai,
Van Binsbergen?

DANIËLLE O, nou, nee

KAMPHUIJS Nee, het is eigenlijk een lul, hoor.

DANIËLLE O ja?

KAMPHUIJS Jaaa. Van Binsbergen is een lul.

DANIËLLE Mag ik ehh, mijn glas?

KAMPHUIJS Ahh, sorry. Ja, het lullige is, hij kan er niks
aan doen zelf, hè.

DANIËLLE Zeg, santé.

KAMPHUIJS Dat is vervelend. Sorry?

DANIËLLE Nee, ik wou santé zeggen. Proost.

KAMPHUIJS Ik dacht dat je zei: d'r zit zand in.

DANIËLLE Ha ha ha.

KAMPHUIJS Proost.

DANIËLLE Proost.

KAMPHUIJS Proost. Nee hoor, Van Binsbergen, kijk,
het is een leuke knul, op zich, hé, hij is ehh,
hij is guitig, leuke kwinkelerende oogjes.

DANIËLLE Ja, ja, ja.

KAMPHUIJS Ha ha, maar hij is eigenlijk een lul.

DANIËLLE Hij heeft mij anders heel leuk leren salsaën.

KAMPHUIJS O ja? Ja dat ken ik wel van hem, ja, die truc.

DANIËLLE O ja?

KAMPHUIJS Ja. Hé ehh, hoe zit jij met ehh, ben jij ehh, hoe ehh, wat ehh...

DANIËLLE Wat?

KAMPHUIJS Dat psychologie is dat, gaat dat ook ehh, vaak ehh, dat gaat vaak vrij intiem, toch?

DANIËLLE Dat gaat vrij diep, ja.

KAMPHUIJS Dat je echt bij mensen binnen kan kijken op een gegeven moment, hè.

DANIËLLE Ik kan bijvoorbeeld gewoon door jou heen kijken.

KAMPHUIJS Ja ja ja ja, ha ha. Ja, zoiets dacht ik al. Luister, ehh...

DANIËLLE Zeg, mag ik jou eens, ehh, wat vragen?

KAMPHUIJS Ja...

DANIËLLE Heb jij geen zin om eens, ehh, een nummertje te maken met mij, hè. Nu. Volgens mij zou jij dat wel willen.

KAMPHUIJS Ehh...

DANIËLLE Zit ik mis of zit ik mis?

KAMPHUIJS Tsja, ehh... *(Schiet in de lach.)* Dat is goed.

DANIËLLE Dat bedoel ik.

KAMPHUIJS Dat vind ik een goed idee.

DANIËLLE Enne, moet je luisteren. Is er iets waarvan jij denkt: nou, dat zou ik nou weleens willen doen, hè?

KAMPHUIJS Jezus, hé.

DANIËLLE Ja, d'r is iets, hè.

KAMPHUIJS Ja ehh, ehh, ja.

DANIËLLE Ja, geheime fantasieën.

KAMPHUIJS Ja, verschillende dingetjes ehh, op mijn repertoire.

DANIËLLE Nou kom op. Wat zou je willen?

KAMPHUIJS Ehh nou. Dat merken we dan wel along the way, hè.

DANIËLLE Dat merken we niet along the way, before we go, ehh, bepalen we even de prijs, hè, want alles heeft een prijskaartje. Knippen, scheren: tweehonderdvijftig gulden. En dan mats ik je. En dan kan jij...

KAMPHUIJS Wacht even. Van Binsbergen, lul.

DANIËLLE Wat?

KAMPHUIJS Van Binsbergen. Ha ha ha! Da's goed.

DANIËLLE Oké.

KAMPHUIJS Tweehonderdvijftig gulden.

DANIËLLE Tweehonderdvijftig gulden.

KAMPHUIJS 't Is voor niks. Ha ha ha.

DANIËLLE Voor een half uur.

KAMPHUIJS Oké, nou ehh...

DANIËLLE Nou, dat is goed.

KAMPHUIJS Fuck, Van Binsbergen, ehh, wacht even. Nee ik heb net al mijn geld meegegeven aan Van Binsbergen voor bier.

DANIËLLE O, nou.

KAMPHUIJS Kan ik je... Ik ga het morgenochtend meteen telefonisch overmaken.

DANIËLLE Nou nee. Dat dacht ik toch niet.

KAMPHUIJS **Nee?**

DANIËLLE **Tweehonderdvijftig hele, handje contantje, of niks, dan ben ik weg.**

KAMPHUIJS **Ehh, dan ben je weg.**

DANIËLLE **Dan ben ik weg. Dus?**

KAMPHUIJS **Ja, dan moet je maar gaan, maar dan ehh...**

DANIËLLE **Goed, dan ga ik.**

KAMPHUIJS **... mis je wel wat, dacht ik.**

DANIËLLE **O ja?**

KAMPHUIJS **Ja.**

DANIËLLE **O ja? Wat mis ik dan?**

KAMPHUIJS **Nou, ik heb namelijk een enorme toplul, enne, er zijn maar weinig mensen die dat kunnen zeggen. Ik denk dat ik misschien jou ook nog wel het een en ander zou kunnen leren, maar ja ehh je moet het...**

DANIËLLE **O ja?**

KAMPHUIJS **... je moet het zelf zeggen, natuurlijk.**

DANIËLLE **Echt waar?**

KAMPHUIJS **Nou, ik denk wel...**

DANIËLLE **Zoals?**

KAMPHUIJS **Nou, er zijn verschillende dingetjes die ik ehh, die ik jou nog wel duidelijk zou kunnen maken, ja.**

DANIËLLE **Is dat zo?**

KAMPHUIJS **Ja, dat denk ik wel.**

DANIËLLE **O ja. Dat is toch interessant.**

KAMPHUIJS **Ja, dat is toch wel interessant.**

DANIËLLE **Jaaa.**

Daniëlle geeft Kamphuijs een trap in zijn kruis en loopt de deur uit.

DANIËLLE **Lullo.**

KAMPHUIJS **Hé. Lul Van Binsbergen, lul Van Binsbergen, fuck. Nou…**

Kerstens en Van Binsbergen komen binnen. Van Binsbergen staat op springen.

KERSTENS **Kamphuijs, moet je even luisteren. Deze lul, die neemt die poppers allemaal achter elkaar in één keer in. Die hele pieremuite van hem staat op springen, er moet nu geneukt worden. Waar is dat wijf?**

VAN BINSBERGEN **Waar is dat wijf?**

KAMPHUIJS Ze is even ehh naar de parkeermeter, Van
Binsbergen.

KERSTENS Er moet nu afgekarnd worden, stomme...

KAMPHUIJS Wacht even, dit gaat fout. Wacht even,
Van Binsbergen, niet hier nu op het tapijt.

KERSTENS Het moet er nu uit.

*Kerstens brengt Van Binsbergen naar de
wasbak.*

KERSTENS Kom op hier, in de gootsteen.

KAMPHUIJS Man, je loopt al te lekken, gek!

*Van Binsbergen trekt zich af boven de
wasbak.*

KERSTENS Hier, trek hem eruit, godverdomme, in één
keer, die lul. Zo, da's eruit.

Haar in mijn glas

*Kamphuijs speelt op zijn keyboard. Kerstens
en Van Binsbergen zijn weg.*

KAMPHUIJS   *Zingt.*
Er zit een haar in mijn glas, er zit een haar
in mijn glas, er zit een haar in mijn glas.

Pakt de telefoon.
En?... Kon je het goed horen?... Wat? Is 't
goed of niet, hé?... Wat?... Lul, nee. Wat
dan?... Hoe zo niet? Wie dan niet?...
NCRV niet?... KRO ook niet?... 't Is gewoon goed... Wat nou, man? Maar, en, en
wat dan van, en wat denk je dan van ehh,
van dat die nacht ehh, dat dat ehh, zoals
dat alleen in films was, of zo?... Wat?...
Dat gaat toch ook gewoon over neuken?...
Jawel man, dat is gewoon, dat is gewoon
ehh... in de ogen van de tandartsassistente,
dat gaat gewoon... ja, het is verdekt man.
Ze zeggen het verdekt, ik zeg gewoon
eerlijk waar het op staat... Wat!.. Echt
niet?

Bel gaat.
**Wacht even, er wordt gebeld. Blijf even
hangen.**

Legt de telefoon neer en loopt naar de deur.

**(Zachtjes.) Lullo. (Via intercom.) Ja? O,
kom boven.**

Peter van de wasmachine komt binnen.

**Hé Peter, ehhh... Is het ehh, even kijken,
morgenochtend klaar, ja oké, kom ik het
morgenochtend halen. Hé, hier ehh.**

Geeft geld.
**Koop iets lekkers, bezuip je of zo, ehh weet
je wel. Oké, bedankt. Bye.**

*Peter gaat weg en Kamphuijs pakt de tele-
foon weer.*
**Ja, ja Pim, daar ben ik weer. Hé, ehh, luis-
ter ehh, als ik het nou gewoon een keer
voor je op een bandje zet, of zo... Echt
niet?... Lullo, man, ik... Het is echt goed
hoor... Nee?... Nou oké, dan bellen we
nog wel... Ja... ja... ja... ja... dag. (Hangt
op.) Biertje.**

Loopt naar koelkast en pakt biertje.
Kerstens en Van Binsbergen komen binnen.

Hé Kerstens.

KERSTENS **Hé Kamphuijs, lul.**

KAMPHUIJS Van Binsbergen.

VAN BINSBERGEN Hé, hé.

KAMPHUIJS Geneukt? Wat?

VAN BINSBERGEN Nou, neuken, neuken, neuken.

KERSTENS Niet echt.

KAMPHUIJS Nee.

VAN BINSBERGEN Eerst even lekker wat ingedronken in het Kwakgat.

KAMPHUIJS O ja, en daarnaast?

KERSTENS Nou, zijn we wat gaan opdrinken bij Van Plaggen. Dat is echt een beetje doordrinken.

KAMPHUIJS O, bij Van Plaggen geweest?

KERSTENS Ja, bij Van Plaggen geweest.

KAMPHUIJS Wat leuk.

KERSTENS Dat is leuk.

VAN BINSBERGEN En toen even afpilsen in Ome Cor was het?... Ik weet het eigenlijk niet meer.

KERSTENS En toen zijn we gaan afpilsen in Bombardier.

VAN BINSBERGEN **Bombardier was het.**

KAMPHUIJS **Te gek, leuk.**

KERSTENS **En toen hebben we ons bij Ome Cor, hebben we ons helemaal laten uitzuipen, en toen waren we door de pecunia heen, ha ha.**

KAMPHUIJS **O, gewoon laten uitzuipen?**

KERSTENS **Gewoon laten uitzuipen.**

KAMPHUIJS **Ja, tuurlijk.**

KERSTENS **Anderhalve rondjes… ja ehh.**

VAN BINSBERGEN **Nou, Cor ehh, dat is niet echt ehh, leuk.**

KAMPHUIJS **Nee?**

VAN BINSBERGEN **Nee.**

KAMPHUIJS **Nee.**

VAN BINSBERGEN **Daar is er een beetje de lol van af. Het is niet meer zoals twee jaar geleden. Dat je gewoon lekker met die mensen uit de straat, gewoon lekker een biertje kon kopen, dat is nu afgelopen.**

KAMPHUIJS **Dat is niet meer, hè?**

VAN BINSBERGEN **Nee, dat is onzettend jammer. Vroeger was het onzettend leuk, dat mannetje, dat**

mannetje dat jouw Fiat 500 heeft gemaakt,
voor vijftien gulden, die zat er altijd met
zijn houten been, gezellig, een biertje
kopen.

KAMPHUIJS   Ja, leuk.

KERSTENS   Die Arie.

VAN BINSBERGEN   ... brak de pleuris uit, met dat been d'r
afschroeven en al dat... die hele tent...

KAMPHUIJS   Leuk.

VAN BINSBERGEN   Die vrouw van hem, tante Ali, leuk mens,
Amsterdams wijf, weet je wel, loopt altijd
met die krulspelden, enne, ja, twee jaar
geleden gingen wij nog wel eens met ze
mee, naar ehh, ergens in Zandvoort, gingen
we met ehh... Dat was leuk.

KAMPHUIJS   Ja, dat was leuk.

VAN BINSBERGEN   Met een grote bus gingen we, dan iedereen
een vleesje mee. En dan lekker barbecuen
op de caravan, gewoon, deed ik gewoon
mee, enne... trainingspak aan...

KERSTENS   Leuk, pret, ja.

VAN BINSBERGEN   Jolijt, gewoon leuk.

KAMPHUIJS   Ja, gewoon pret maken.

KERSTENS   Pret maken en dat soort dingen.

— 49 —

VAN BINSBERGEN We gingen vroeger ook met ze naar
Keulen, dat is voor jullie tijd.

KAMPHUIJS Nee, weet ik niet meer, nee.

VAN BINSBERGEN Keulen, voor vijfenveertig gulden, en dan
koffie gratis. Stuk gebak erbij.

KAMPHUIJS Maar, niet geneukt?

VAN BINSBERGEN In Keulen?

KERSTENS Nee.

KAMPHUIJS Wel wijven, of niet?

KERSTENS Wijven, ja, wijven.

VAN BINSBERGEN Daar gaat het niet om. Het is juist het
leuke temperament. Het gaat dus helemaal
niet over wijven. Het is gewoon leuk met
mensen praten, een biertje kopen en gezel-
ligheid.

KERSTENS Het leuke is juist van dat soort cafés, weet
ik veel, Van Plaggen, en dat soort, Ome
Cor, en dat soort dingen, is dat er gewoon
van die volkswijven zijn, die zijn nog zo
lekker ongecompliceerd geil.

KAMPHUIJS Ja, precies.

KERSTENS Niet zoals Mariëtta of Alice, die zitten
allemaal in hun eigen doos te fruttelen
tuttelen. En ja god, op een gegeven moment
ben je dat gelul ook zat.

KAMPHUIJS Ja, daar is er geen reet meer aan,
Van Plaggen, eigenlijk.

KERSTENS Van Plaggen, daar is geen bal meer aan.

VAN BINSBERGEN Nee, dat is helemaal overgenomen. Daar komen Jan-Diederik en Anton en weet ik veel. Vroeger hadden wij dat ontdekt, en nu is het helemaal afgelopen.

KERSTENS In Van Plaggen, daar komen nu echt alleen maar van die ballen.

KAMPHUIJS Ja, precies. Ja echt, ja. Enorme ballo's.

KERSTENS Dat zie niet meer gewoon, hè.

VAN BINSBERGEN Wa wa wa wa waf, wa wa wa.

KAMPHUIJS Als je in Van Plaggen bijvoorbeeld, hè, daar stond ik laatst, was ik gewoon een biertje aan het bestellen, hè, Arie, weet je wel, gezellige vent, zeg ik: hé, Arie, kan ik even een biertje kopen? Weet je wel. En dan hoor je gelijk achter je: *(Imiteert een bal.)* 'Hé, jij, doe mij maar whisky.' Zo'n ballo echt, weet je wel.

KERSTENS Ja, ja. Dan staan ze zo altijd, vreselijk, ja.

KAMPHUIJS Er is geen bal meer aan, nee.

VAN BINSBERGEN Er is echt geen bal meer aan, walgelijk. *(Imiteert een bal.)* 'Ahh, een biertje kopen, ahh... Dit is toch niet leuk, dit is Arie, ehh. Biertje kopen, Arie.' Zo.

KERSTENS   Ja.

KAMPHUIJS   Dat is niet leuk.

VAN BINSBERGEN   Jajajajajajajajaja… *(Stilte.)* Jajajaja… Jaja.

KAMPHUIJS   Ja, verder gaat het wel, Van Binsbergen?

VAN BINSBERGEN   Jajajajaja.

KAMPHUIJS   Nee, wacht even, wacht even want ehh… Wacht. Ik zit met ehh… Van Binsbergen, ga jij nou eens naar buiten.

VAN BINSBERGEN   Wat?

KAMPHUIJS   Ga even naar buiten, man.

VAN BINSBERGEN   Hoezo, gaan jullie neuken of zo?

KAMPHUIJS   Nee man. Lul. Ja lullo.

VAN BINSBERGEN   Gaan jullie een potje liggen…

KAMPHUIJS   Ga even naar buiten.

VAN BINSBERGEN   Ouwe rukker, jullie zijn gewoon twee rugtoeristen, man.

KERSTENS   Doe wat ik zeg, Van Binsbergen.

VAN BINSBERGEN   Nou oké. Oké, nou. *(Loopt weg.)*

KERSTENS   Jezus.

KAMPHUIJS Even niet aan de deur luisteren, hè.

VAN BINSBERGEN Nee.

KAMPHUIJS Nee, oké. Hé, Kerstens, luister, ehh… die van ehh… dat van ehh… Het is ehh een nacht, zoals je dat alleen in de films ziet, weet je wel. Dat lied, weet je wel.

KERSTENS Ach, dat nummer.

KAMPHUIJS Ja, waar gaat dat over?

KERSTENS Over neuken.

KAMPHUIJS Ja, neuken, ja, goed zo. En van dat, van het, van de lente met de tandartsassistente?

KERSTENS Ja, hij neukt haar eigenlijk.

KAMPHUIJS Ja, neuken, ja, nou dat zei ik ook. Ja, oké, Van Binsbergen! Kom maar binnen.

Van Binsbergen komt binnen.

VAN BINSBERGEN Hoe ging het?

KAMPHUIJS Van Binsbergen, luister.

VAN BINSBERGEN Ben je al klaargekomen, of zo?

KAMPHUIJS Nee. Luister.

VAN BINSBERGEN Ja.

KAMPHUIJS Die van ehh… Het is een nacht van ehh…
zoals je alleen in de films ziet. Waar gaat
dat over?

VAN BINSBERGEN Neuken.

KAMPHUIJS Ja, nou, hier. Ja. En van die tandartsassistente, weet je wel?

VAN BINSBERGEN Pijpen. Neuken.

KAMPHUIJS Ja, pijpen, neuken, nou. Het is dus heel
gek, want ik had dus Pim aan de lijn, enne,
dat liedje aan hem voorgespeeld, en dan
gaat-ie heel raar reageren.

KERSTENS Wordt hij geil, of zo?

KAMPHUIJS Nee, die zegt gewoon van ehh… Dat krijg
ik niet gedraaid. Ik wil het echt uitleggen.
Nee lul, luister.

VAN BINSBERGEN Jajajajajajajaja.

KAMPHUIJS Hier gaat híj dus moeilijk over doen, weet
je wel. Hier. Zo.

Kamphuijs begint op keyboard te spelen.

KAMPHUIJS Nou, dat is al goed.

VAN BINSBERGEN 'T Is goed.

KERSTENS Dat is al goed.

KAMPHUIJS   *Zingt.*

Er zit een haar in mijn glas,
op de grond ligt een tapijt van peuken.
Ik wou dat jij nu hier was,
om je stevig in je reet te neuken.
En doe maar niet net of je dat niet wil,
je weet zelf ook dat je het liefst hebt dat ik
je verneder.
Want baby, je genoot toch ongewild elke
keer dat we het op die manier deden.

KAMPHUIJS   Ja, het moet nog even een beetje beter lopen, maar op zich is het goed.

KERSTENS   Ja, 't is goed.

VAN BINSBERGEN   Jajajajajaja.

KAMPHUIJS   *Zingt.*

Er zit een haar in mijn glas,
nu ik weer aan je denk krijg ik spontaan
een stijve,
er zit hier een hoer met één been en ik hoor
mezelf vragen of ik bij d'r mag blijven.
En hoe het behang hier is afgebladderd is
nog spic en span vergeleken met de staat
van mijn hersens.
En ik stel die spuithoer hier iets voor, maar
wat denk je, ze weet nog iets veel perver-
sers.
En ik laat het met me doen,
in ruil voor een echte zoen.
Een echte zoen in al zijn eenvoud.
Dat is het enige wat me hier nog op de been
houdt.

VAN BINSBERGEN   Haar in mijn glas.

KAMPHUIJS   *Zingt.*
Er zit een haar in mijn glas,
er zit een haar in mijn glas.

VAN BINSBERGEN   Ja ja, en dan wegmoduleren naar B.

KAMPHUIJS   Ja, nou, dat weet ik niet. Bijvoorbeeld.

VAN BINSBERGEN   Meesterlijk.

KERSTENS   Petje af hoor, Kamphuijs.

KAMPHUIJS   Het is goed.

VAN BINSBERGEN   Jajajajajajaja.

KERSTENS   Wat zeuren ze er nou over? Het is goed.
Die Pim is gewoon een lul, man.

KAMPHUIJS   Pim is een lul, ja.

VAN BINSBERGEN   Het is heel direct, het is anders dan die
andere jongens, het is ehh...

KAMPHUIJS   Het is, het zegt meteen waar het over gaat.

VAN BINSBERGEN
EN KERSTENS   Ja ja, 't is goed.

KERSTENS   Je moet het misschien hier en daar nog
een beetje opleuken, maar verder is het
hartstikke goed.

KAMPHUIJS **Wat?**

KERSTENS **Die hoer met het spuiten zakt een klein beetje weg, maar verder, opleuken moet je...**

KAMPHUIJS **Je vindt het niet goed?**

VAN BINSBERGEN
EN KERSTENS **Jawel, onzin, gewoon, dat zeg ik niet.**

KAMPHUIJS **Nee, je zegt: je moet het opleuken.**

VAN BINSBERGEN **Ja, je moet gewoon... Ik merk, ik zie jou, ik hoor jou er af en toe niet helemaal in. Een soort ironie.**

KAMPHUIJS **Hij zegt nou opleuken.**

VAN BINSBERGEN **Hè?**

KAMPHUIJS **Hij zegt nou opleuken.**

VAN BINSBERGEN **Ja, een beetje, dat is waar.**

KERSTENS **Ja goed.**

KAMPHUIJS **'t Is niet goed?**

VAN BINSBERGEN **'t Is goed, alles goed.**

KERSTENS **'t Is goed, onzin.**

KAMPHUIJS **Nou dan ehh...**

VAN BINSBERGEN Word je onzeker, of zo?

KAMPHUIJS Nou, ik vind het een beetje raar dat jij dan zegt van ehh... opleuken.

VAN BINSBERGEN Nee, je mag zeggen wat je zegt, wat heel bijzonder, het is een enorm soort wonderlijke tekst met enorme flarden poëzie erdoorheen.

KAMPHUIJS Wel poëzie?

VAN BINSBERGEN Ja.

KAMPHUIJS Wel poëzie?

VAN BINSBERGEN Jajajajajajajajaja.

KERSTENS Ja absoluut, ja.

KAMPHUIJS Maar een beetje opleuken, misschien, hier en daar?

KERSTENS Ja precies.

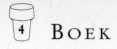

4 BOEK

Kerstens ligt op de bank. Kamphuijs komt binnen.

KAMPHUIJS **Hé Kerstens.**

KERSTENS **Hé Kamphuijs. Hai.**

KAMPHUIJS **Wat ruikt het hier raar, man.**

KERSTENS **Mwah.**

KAMPHUIJS **Het is zo'n soort kamillelucht, weet je wel.**

KERSTENS **Ik had pizza besteld met champignons, die waren een beetje bedorven. Geloof ik.**

KAMPHUIJS **Hoe is het?**

KERSTENS **'t Is goed.**

KAMPHUIJS **Goed.**

KERSTENS **'t Is goed. Gaat goed.**

KAMPHUIJS Is er nog voor mij gebeld, of niet?

KERSTENS Ehhh, ja, d'r heeft een of andere Katinka, die heeft voor jou gebeld.

KAMPHUIJS Katinka?

KERSTENS Katinka. Zegt je dat niks? Katinka of...

KAMPHUIJS Ja, dat weet ik niet, ik onthoud geen namen, man.

KERSTENS Ja, 't ging over of je ehh, of je, ze had zo'n piercingringetje door haar klit, of jij gisteren bij het beffen dat misschien had doorgeslikt. Zo'n soort... *(Kamphuijs hoest.)*

KAMPHUIJS Dus dat is wat ik de hele dag voel.

KERSTENS Ja, ja. Ja, 't Is een lulverhaal, gewoon.

KAMPHUIJS 't Is gewoon een lulverhaal. Nog geneukt?

KERSTENS Hè?

KAMPHUIJS Nog geneukt?

KERSTENS Ja ja ja. Jij nog gewoon?

KAMPHUIJS Wat? Ik heb geneukt, ja.

KERSTENS O.

KAMPHUIJS Hè hè hè, ik heb geneukt.

KERSTENS Hé, Kamphuijs.

KAMPHUIJS Nou ja, 't was even... 't Was even een tussendoortje, moest even.

KERSTENS Ja.

KAMPHUIJS Weet je wel, die kleine, korte, dikke...

KERSTENS O die. Dat biggetje.

KAMPHUIJS ... uit het dispuut. Ja, dat biggetje.

KERSTENS O, enne?

KAMPHUIJS Even dat biggetje. Ja, enorm knorren, ja, 't is goed. Ritmisch knorren.

KERSTENS Ja, even weer ehh?

KAMPHUIJS Euweuweuw, weet je wel.

KERSTENS In de modder?

KAMPHUIJS Ja, moest even gewoon.

KERSTENS O ja, leuk hé.

KAMPHUIJS Geen blijvertje, of zo.

KERSTENS Ja ja ja. Ik heb gisteren toch zo raar, zo raar geneukt, jongen.

KAMPHUIJS Ja, is dat zo?

KERSTENS Twee van die Surinaamse, Surinaamse wijven naar de coffeeshop meegenomen.

KAMPHUIJS Nee.

KERSTENS Nou, ik geef die Fransen groot gelijk, hoor.

KAMPHUIJS Wat?

KERSTENS Hartstikke stoned, ik ben nog nooit, ben zo lamlendig twaalf uur achter elkaar aan mijn eikel gesabbeld, man.

KAMPHUIJS Lul.

KERSTENS Ja.

KAMPHUIJS Lullo.

KERSTENS Echt waar, hoor. Drugsstaat ja, godverdomme. Tsjesses zeg, wat een lam... wat een lamlendigheid. En dan onder die dekens een beetje ehh... Knabbel en Babbel. Knabbel en Sabbel.

KAMPHUIJS Ja ja.

KERSTENS Maar ja, als die van mij onder druk staat, dan...

KAMPHUIJS Ja, precies.

KERSTENS Wat?

KAMPHUIJS Dan ehhh...

KERSTENS   Is er geen biertje, of zo?

KAMPHUIJS   Biertje?

KERSTENS   Ja.

KAMPHUIJS   Moet je een biertje hebben?

KERSTENS   Ja.

KAMPHUIJS   Nou natuurlijk. Doe ik graag voor je,
biertje pakken. Er moet hier toch wel
ergens een biertje zijn?

Loopt naar de koelkast en pakt biertjes.

Hé, Kerstens, hier.

Gooit biertje naar Kerstens.

KERSTENS   Zeg, één ding.

KAMPHUIJS   Wat?

KERSTENS   Wat we echt moeten doen, is een
antwoordapparaat aanschaffen. Want het
is dan weer Katinka, dan weer Willemijn
en dan weer weet ik veel, de moeder van
Van Binsbergen, die ehh... Ik word er dus
helemaal gek van, ik kan zo gewoon
niet werken, weet je. Ik word constant
gestoord.

KAMPHUIJS   Wat bedoel je, werken?

KERSTENS Nou, werken. Schrijven, man.

KAMPHUIJS O, schrijven.

KERSTENS Ik kom er niet aan toe.

KAMPHUIJS Ik dacht dat je het over werken had. Hé, enne...

KERSTENS Ha ha ha ha, ja.

KAMPHUIJS ... maar gaat het goed?

KERSTENS 't Gaat goed.

KAMPHUIJS Wat?

KERSTENS Ik heb de eerste twee pagina's af.

KAMPHUIJS Lul.

KERSTENS Ja.

KAMPHUIJS Echt waar?

KERSTENS Ja.

KAMPHUIJS Jezus man, wat goed.

KERSTENS Ja lul, tuurlijk.

KAMPHUIJS Eerste twee pagina's?

KERSTENS Ja.

KAMPHUIJS Wat goed.

KERSTENS Ja.

KAMPHUIJS Dat vind ik goed.

KERSTENS Vind je goed?

KAMPHUIJS Ja, dat vind ik goed.

KERSTENS 'tIs ook goed.

KAMPHUIJS Kom op man, laat horen.

KERSTENS Ja, wil je het horen?

KAMPHUIJS Laat horen, man.

KERSTENS Wil je een stukje horen?

KAMPHUIJS Lees voor. Hé…

KERSTENS Wat?

KAMPHUIJS Eerste twee pagina's, man.

KERSTENS Ja, 't is…

KAMPHUIJS 'tIs goed.

KERSTENS 'tIs goed geworden. Ik heb het al… Ik heb
een hele figuur, die noem ik Dreesman in
dat boek, helemaal gemoduleerd op Van
Binsbergen, ha ha ha.

KAMPHUIJS   Tjezus.

KERSTENS   Die lul, moet je opletten.

KAMPHUIJS   't Is goed.

KERSTENS   Oké. Ja?

KAMPHUIJS   Ja.

KERSTENS   Aandacht.

KAMPHUIJS   Ja, voll… vollop.

KERSTENS   Oké. *(Begint voor te lezen.)* 'Het was donker in de bar, maar ik schatte haar niet ouder dan zestien, vijftien hooguit. Dat ik haar ging neuken, stond al sinds de binnenkomst in…'

Van Binsbergen komt onder veel kabaal en rinkelend glas binnen.

KAMPHUIJS   Jezus, goed. Hé.

KERSTENS   Jezus, hé.

KAMPHUIJS   Van Binsbergen?

VAN BINSBERGEN   Sorry. Ja. Jezus man, wat een rotzooi.

KAMPHUIJS   Lul.

KERSTENS   Hé, Van Binsbergen, lul.

VAN BINSBERGEN **Zo kan ik hier toch niet wonen, man.**

KAMPHUIJS **Wacht even, Van Binsbergen.**

VAN BINSBERGEN **Ruim eens wat op, of zo.**

VAN BINSBERGEN **Hoe is het?**

KERSTENS EN
KAMPHUIJS *(In koor.)* **Goed.**

VAN BINSBERGEN **Geneukt?**

KAMPHUIJS **Ja, wij wel. Ja, allebei geneukt.**

KERSTENS **Wij wel.**

VAN BINSBERGEN **Ja, ik begreep… een gaatje maken, oké.**

*Van Binsbergen gooit tas op manuscript
Kerstens.*

KERSTENS **Kijk je even uit, mijn manuscript, lul.**

VAN BINSBERGEN **Wat, wat lullo, heb je geschreven?**

KERSTENS **Ja.**

KAMPHUIJS **Man, we zitten er net in.**

VAN BINSBERGEN **Wat leuk. Ja echt waar, heeft hij echt
geschreven?**

KAMPHUIJS **Ga even zitten.**

VAN BINSBERGEN Wat leuk.

KAMPHUIJS Nee, even, Van Binsbergen, even gewoon je kop dicht. Even gewoon luisteren, nou, hé.

VAN BINSBERGEN Ja, ja, ja, oké.

KERSTENS Als je dat kan, als je dat kan.

KAMPHUIJS Ja, echt luisteren.

KERSTENS Haal even wat smeersel uit je oren, en dan kijken of je het kan begrijpen.

VAN BINSBERGEN Oké, nee, oké.

KERSTENS 't Is een boek!

VAN BINSBERGEN Ja.

KERSTENS Ja.

VAN BINSBERGEN Luister: nou luister ik, ik luister.

KERSTENS Kan-ie?

VAN BINSBERGEN Een en al oor.

KERSTENS Kan-ie?

VAN BINSBERGEN Ja.

KERSTENS *(Begint met voorlezen.)* 'Het was donker in de bar, maar ik scha…'

VAN BINSBERGEN Dat is goed.

KERSTENS 'Het was donker in de bar, maar ik schatte
haar niet ouder dan zestien, vijftien hooguit. Dat ik haar ging neuken, stond al sinds
mijn binnenkomst in de sterren geschreven. "Hoe heet je?" vroeg ik. "Mariëtta,"
zei ze. Haar stem klonk als een terugrol-
lende golf over een met schelpen bezaaid
strand, ergens veel zuidelijker dan waar we
nu waren.'

VAN BINSBERGEN Mooi.

KERSTENS '"Wil je iets van me drinken?" vroeg ik.
"Doe mij maar iets longs," zei ze. Iets
longs, iets longs kon ze altijd van me krijgen, iets veel longers dan ze zich in haar
stoutse dromen kon voorstellen.

KAMPHUIJS Jezus, goed hé.

VAN BINSBERGEN Jezus.

KERSTENS Goed, hè?

KAMPHUIJS Ja, tikt aan.

KERSTENS Ja ja. 'En als alles meezat, nog deze zelfde
nacht. Ik bestelde een Dakiri met een
twist.'

VAN BINSBERGEN Wie?

KERSTENS Met een twist, lul. Cultuur, man, of weet je

niet eens wat dat is. '"Hoe oud ben je eigenlijk," vroeg ik. "Twaalf," antwoordde ze zonder enige aarzeling.'

KAMPHUIJS 't Is goed.

KERSTENS 't Is goed, hè. 'Aan de ene kant was dit natuurlijk zwaar kut, aan de andere kant ook weer juist niet. Vlak onder haar onderlip bevond zich een soort maagdelijk windstiltegebied, dat waarschijnlijk nog nooit door een blanke tong was beroerd. Leven je ouders nog, vroeg ik. Het zou niet de eerste keer zijn dat ik eerst de dochter een veeg had gegeven en daarna ook nog weken lang haar moeder moest uitwonen om de gemoederen weer enigszins tot bedaren te brengen.'

VAN BINSBERGEN Jezus, man, goed.

KAMPHUIJS Hakt erin.

KERSTENS Ja, hè. Gedurfd, hè, ha ha. '"Mijn ouders zijn gescheiden," zei Mariëtta. Alsof ik dat gevraagd had: twaalf en nu al dom. Maar goed, het had erger gekund. Dom, dat neukte meestal lekker snel weg, was mijn ervaring, en was achteraf ook makkelijker te dumpen dan de meer belezen kipjes wier vakken ik in de loop der jaren had bijgevuld.'

KAMPHUIJS Nou, dat is waar. Is waar.

KERSTENS 'Dreesman stond ondertussen met zijn gebruikelijke plompheid de bar overeind te houden, en zei op alles alleen maar: "Jajaja-jaja. Jajajaja…"'

KAMPHUIJS Is goed.

KERSTENS Is goed, hè. 't Is goed.

KAMPHUIJS Ga door.

KERSTENS '… in plaats van zijn kont te lichten en mij met de verse vangst van die avond alleen te laten. Zijn bril was beslagen, alsof aan de binnenkant, aan de binnenkant, alsof zijn opgekropte geilheid zich door de glazen een weg naar buiten probeerde te vinden. Soms deed hij me aan mijn vader denken, ook zo'n lul die nooit begreep waar ik eigenlijk mee bezig was.'

VAN BINSBERGEN Jajajajajajajaja.

KERSTENS Ja.

VAN BINSBERGEN Jajajajajaja.

KERSTENS Nou, dat is het.

KAMPHUIJS Is dat het?

KERSTENS Ja.

KAMPHUIJS Nou, is goed. Nou ik vind het goed.

KERSTENS   Leuk.

KAMPHUIJS   Eén dingetje.

KERSTENS   Wat?

KAMPHUIJS   Dat eh, dat eh windstiltegebied heb je van mij.

VAN BINSBERGEN   Ho ho.

KAMPHUIJS   Wat?

VAN BINSBERGEN   Nee, dat is van mij, het windstiltegebied.

KERSTENS   Lullo.

KAMPHUIJS   Wat?

VAN BINSBERGEN   Dat is van mij.

KAMPHUIJS   Lullo, dat zeg ik altijd. Windstiltegebied? Dat zeg ik altijd.

VAN BINSBERGEN   Nee, ho ho ho ho ho.

KAMPHUIJS   Jawel.

VAN BINSBERGEN   Liegen, man. Wat kun je liegen.

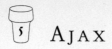

5 AJAX

*Ajaxsjaal ligt over de bank. Kamphuijs staat
op een stoel, Van Binsbergen staat tegen de
muur en mag niet voorbij de sjaal komen
richting Kamphuijs.*

KAMPHUIJS Oké, Van Binsbergen. Probeer je... Probeer je voor één keer te concentreren, ja?

VAN BINSBERGEN Oké.

KAMPHUIJS Oké, en wel achter... weg bij dat sjaaltje.

VAN BINSBERGEN Dan leg ik hem wel even hier neer.

KAMPHUIJS Nee! Wacht even, nee. Kan je d'r niet van afblijven? Dan leg ik hem hier neer.

VAN BINSBERGEN Oké.

KAMPHUIJS Nee, kijk uit, hè. Blijf staan. Ben je er klaar voor? Oké. Vraag één.

VAN BINSBERGEN Ja.

KAMPHUIJS Peter Hoekstra.

VAN BINSBERGEN Ehh... voormalig PS... voormalig PSV, nu
bij Ajax.

KAMPHUIJS Is goed. Oké. Vraag twee.

VAN BINSBERGEN Ja.

KAMPHUIJS Litmanen: linksbenig of rechtsbenig?

VAN BINSBERGEN Ehh...

KAMPHUIJS Linksbenig of rechtsbenig,
Van Binsbergen!

VAN BINSBERGEN Allebeibenig, allebeibenig, kan zowel links
als rechts.

KAMPHUIJS Fuck, is goed. Oké.

VAN BINSBERGEN Oké.

KAMPHUIJS Winston Bogarde. Jasje uit of jasje aan?

VAN BINSBERGEN Ehhh, meestal ehh... oehh...

KAMPHUIJS Jasje uit of jasje aan?

VAN BINSBERGEN Meestal jasje uit alleen bij Sparta jasje
uit... uit! Bij Sparta jasje uit.

KAMPHUIJS Dat was goddomme net op tijd,
Van Binsbergen. Goed.

Kerstens komt binnen.

Hé Kerstens.

KERSTENS   Heeft het nog zin?

KAMPHUIJS   Wat?

KERSTENS   Heeft het nog zin, levert het nog iets op?

KAMPHUIJS   Nou, nog wel.

KERSTENS   Hé even jongens….

VAN BINSBERGEN   Heb je nog geneukt?

KERSTENS   … ik ben mijn sokken kwijt. Vlak voor een wedstrijd man, ben je nou helemaal belazerd? Ik ben mijn sokken kwijt, en wie van jullie tweeën heeft die gezien?

VAN BINSBERGEN   Hé, hoe finnidi? Hoe Finnidi George?

KAMPHUIJS   Wacht even Van Binsbergen, nog één zo'n opmerking en je bent bij voorbaat al gedis-kwalificeerd, en dan ga je dus niet mee.

VAN BINSBERGEN   Dat is gemeen. Dat is geméén. Kom op, Kampie.

KAMPHUIJS   Nee.

VAN BINSBERGEN   O, wat gemeen.

KAMPHUIJS   Nou, ga jij dan op je plekje staan. Goed luisteren. Vraag vier.

VAN BINSBERGEN Ja.

KAMPHUIJS Met welke stripfiguur wordt Overmars
vergeleken?

Stilte.

VAN BINSBERGEN Mickey Mouse... Speedy Gonzalez.

KAMPHUIJS 't Is goed.

VAN BINSBERGEN Oké.

KAMPHUIJS Laatste vraag.

VAN BINSBERGEN Oké.

KAMPHUIJS Vraag vijf.

VAN BINSBERGEN Ja.

KAMPHUIJS Just for the record. Ehh, op je plekje staan.
Kom op nou, Van Binsbergen, een beetje
meespelen. Hé, hé, hé, hé, hé. Wil je mee of
niet.

VAN BINSBERGEN Ik wil best mee.

KAMPHUIJS *(Wijst naar sjaal.)* Ga je dan daar staan of
niet?

VAN BINSBERGEN Ik kan hier toch ook staan?

KAMPHUIJS Nee. Je kan beter daar staan.

VAN BINSBERGEN Ik kan hier toch ook staan?

KAMPHUIJS Dat kan wel, maar dan ga je niet mee.
Oké, vraag vijf. Waar speelde Louis van
Gaal voordat hij trainer werd bij Ajax?
Weet-ie niet.

VAN BINSBERGEN Wie?

KAMPHUIJS Wat?

KERSTENS O jezus.

KAMPHUIJS Louis van Gaal.

VAN BINSBERGEN Ajax! Ajax!

KAMPHUIJS Jezus, hé.

VAN BINSBERGEN Onze club.

KAMPHUIJS Sparta dus. Oké, ik moet het toegeven,
four out of five, je bent...

VAN BINSBERGEN Sparta? Louis van Gaal Sparta? Ja dag,
dikke lul, man.

KAMPHUIJS Luister even wat ik zeg, four out of five, je
bent geslaagd.

VAN BINSBERGEN Hè, wat?

KAMPHUIJS Je mag mee. Oké.

VAN BINSBERGEN Yes!

Van Binsbergen, Kerstens en Kamphuijs
dansen en klappen.

VAN BINSBERGEN   We gaan naar Griekenland!

KERSTENS   Van Binsbergen, kijk eens even hier. Zijn dit mijn sokken? Heb jij die aangehad? Het ruikt wel zo, ziet er ook zo uit.

KAMPHUIJS   Fuck.

VAN BINSBERGEN   Wa?

KAMPHUIJS   Wat? We vliegen over vijf minuten, man.

VAN BINSBERGEN   Lul niet man, lul niet man, mag ik een keertje mee, kom op, dat haal je niet.

KAMPHUIJS   Wat nou, jij zegt toch ook niks, Van Binsbergen?

VAN BINSBERGEN   Je had mijn horloge aan, daar zit een biepertje op.

KAMPHUIJS   Ja, voor die stopwatch, weet je wel.

VAN BINSBERGEN   Dat had ik toch gezegd, dan moet je op die vijf plus drukken, man.

KERSTENS   Ik bel niet, doe jij het deze keer maar. Onbepaald vertraagd.

KAMPHUIJS   Oké.

KERSTENS   Even kijken, hoor. *(Kerstens belt toch.)* Ja

hallo, mag ik balie 19 van u? Oké, bedankt. Ja, de AL314 naar Athene heeft een bom aan boord, dus ehh, ik zou het maar even nachecken. Oké dan.

KAMPHUIJS   Zo.

VAN BINSBERGEN   Jongens, wegwezen.

KERSTENS   We hebben nog een half uur, want ze gaan eerst dat ding nog onder en door.

KAMPHUIJS   Ik heb er wel zin in, hé.

KERSTENS   't Werkt altijd.

KAMPHUIJS   Yes.

KERSTENS   Come on, Griekenland, here we come.

VAN BINSBERGEN   We worden wereldkampioen, we worden wereldkampioen.

KAMPHUIJS   Wat zeg je nou, Van Binsbergen?

VAN BINSBERGEN   Dat we wereldkampioen worden, man.

KAMPHUIJS   Lul.

VAN BINSBERGEN   Wat?

KERSTENS   Waar gaan wij naar toe?

VAN BINSBERGEN   Naar Athene.

KERSTENS **Ja, waarvoor?**

VAN BINSBERGEN **Het wereldkampioenschap.**

KAMPHUIJS **We gaan naar de halve finale Europacup, lullo.**

VAN BINSBERGEN **O.**

KAMPHUIJS **Hé, daar ligt de afstandsbediening, 't is op Nederland 2. Doei!**

Kerstens en Kamphuijs gaan weg en laten Van Binsbergen achter.

VAN BINSBERGEN **Kut.**

6 KATER

*Kamphuijs ligt, met z'n broek van z'n kont,
z'n roes uit te slapen op de bank, boven op
een bruinharige jongedame. Plotseling
klinkt het geluid van een drilboor. Kamphuijs schrikt wakker, kijkt verward rond.*

KAMPHUIJS **Jezus…**

*Kijkt verbaasd naar het meisje, trekt zijn
broek omhoog.*
**J'zus.. Wacht 'ns even… Jij bent? Mijn
God… Mijn God wat een avond.**

Maakt flesje bier open.
Is hier nog iemand… überhaupt?

Kijkt afwachtend rond. Roept.
Van Binsbergen?

*Gerochel, neusophalen, gespuug. Kerstens
komt achter de bank vandaan.*

KAMPHUIJS **Hé, Kerstens!**

KERSTENS **Kamphuijs!**

KAMPHUIJS **Hoe is 't?**

KERSTENS **Man...**

KAMPHUIJS **Wat?**

KERSTENS **Lul!**

KAMPHUIJS **Wat? Het was wel een goed feest, of niet?**

KERSTENS **Het was goed!**

KAMPHUIJS **Het was een goed feest!**

KERSTENS **Het liep gewoon goed! Ja, dat vond ik wel!**

KAMPHUIJS **Het was goed!**

KERSTENS **Absoluut goed!**

Een wat oudere dame komt naast Kerstens achter de sofa vandaan, terwijl ze enigszins duf haar haren fatsoeneert.

KAMPHUIJS **Hé... van wie, v... van wie ben jij d'r eentje?**

KERSTENS **Dealtje met haar gemaakt, over d'r dochter.** *(Draait hoofd naar vrouw en spreekt tegen haar.)* **Was ik goed? Euh...**

VROUW **Een zeven en een half.**

KAMPHUIJS Een zeven en een half, Kerstens!!

KERSTENS Ohhh, hahaha!

KAMPHUIJS Da's goed, man!

KERSTENS Ja!

KAMPHUIJS Dat vind ik goed.

KERSTENS Nee, dan ben ik geslaagd.

KAMPHUIJS *(Tegen vrouw.)* Echt waar? Is het echt een zeven en een half?

KERSTENS Nee, da's goed, ja!

KAMPHUIJS Fuck man! Goed!

KERSTENS Nou, ze wou even van tevoren checken of, euh, nou ja, of ik goed genoeg was voor d'r dochter, maar eh, we hebben moeders zegen geloof ik, hoor.

KAMPHUIJS O ja?

KERSTENS *(Tegen vrouw.)* Hoe hee hoe heet ze ook al weer je dochter, niet die donkere, maar die ehh, die jongere...

VROUW Nicole.

KERSTENS Nicole, da's die blonde, toch hè? Ja, die moet ik hebben. Eeeeeehmm... *(Murmelt, hardop denkend, wat cijfers.)* Ik weet het nog goed. Ik ga even bellen.

KAMPHUIJS Ga jij dat nu doen?

KERSTENS Ja.

KAMPHUIJS O. Nou.

KERSTENS Hé Nicole, hallo, met mij, met Kerstens.
Ha ja... Hé, moet je horen, het is allemaal
in kannen en kruiken, hoor. Ja, ik ben geslaagd. Zeven 'n half, ja, ja, hé? Nee, ik ben
net helemaal afgereden op je moeder, ja.
Nou ze vond het goed, ze vond dat ik het
goed deed, dus eh, de weg ligt voor ons
open, dus eh, wat je wilt, zal ik vanavond
even langskomen? Dat we een beetje...
(Gaapt.) Ik heb een beetje nog euh spier-
pijn hier en daar, maar dan kunnen we
misschien gewoon een beetje rustig inneu-
ken vannacht, oké? *(Tegen vrouw.)* Eh, zeg
eh, even by the way, had jij niet eh... een
of andere hele stomvervelende kantoor-
baan waar je naar toe moest?

*Vrouw zegt ja en wuift gedag terwijl zij
door de deur vertrekt.*

Ja, oké. Nee, ze gaat net de deur uit. Ik zie
je vanavond, he? Kusje, hai!

Legt de telefoon neer.

KAMPHUIJS Jezus man, Kerstens, man... Wat een
avond, man. Moeten we trouwens niet een
beetje opruimen

KERSTENS   Ja, eeeeeeuhhrg, een beetje umph...

KAMPHUIJS   *(Tegen meisje op de bank.)* Hallo, eh, hoe
heet ze nou, ik weet niet hoe ze heet. Hai...
(Tikt meisje op de wang.) Hallo, hoi...

*Meisje wordt wakker, kijkt hem verdwaasd
aan.*

Hei, lieve schattebout, sta 'ns op, ehm, het
punt is... ehm... We gaan enorm bellen. Ik
ga eh, jou bellen, jij gaat mij bellen, je weet
niet half wat er allemaal, eh, gebeurt.

*Meisje staat op, loopt naar deur, Kamphuijs
loopt erachteraan.*

Hé, ik vond het leuk, het was gezellig, hier
is de deur, eh, bedankt, hè! Tot kijk, we
bellen, hè?

*Doet deur dicht, leunt bedroefd tegen de
deur aan. Er klinkt melodramatische muziek.*

KERSTENS   *Kijkt verbaasd naar Kamphuijs.*
Hé, Kamphuijs!

KAMPHUIJS   Ja...

KERSTENS   Ben je wel helemaal goed, man?

KAMPHUIJS   Ik ben verliefd, man!

KERSTENS   Wat?

KAMPHUIJS   Ik ben verliefd, man!

KERSTENS   Nee, wat lul je nou?

KAMPHUIJS   Echt waar, ik voelt echt iets voor die
vrouw…

KERSTENS   Jij voelt iets?

KAMPHUIJS   Nee, wat?

KERSTENS   Wat voel je dan?

KAMPHUIJS   Lul! Serieus! Ik voel ehh, vlinders,
dingeh…

KERSTENS   Vlinders, dingeh, jahaajaaaa…..

KAMPHUIJS   Warm gevoel van binnen, ja, echte vreugde, vreugde… ehh…

KERSTENS   Ja.

KAMPHUIJS   Jaaaaaaaaahhhhhhh! Jij dacht het even,
hè?!? *(Lacht.)*

KERSTENS   Ohhhhh… LUL!

KAMPHUIJS   Jij dacht het even, hè! Tuurlijk niet, man!
Verliefd, LUL! Lullo!

KERSTENS   Goh… LUL! Zo ken ik je weer,
Kamphuijs! Hé!

*Beiden liggen krom van het lachen. Weer
die drilboor.*

KAMPHUIJS **Jezus, man!**

KERSTENS **O, nee.**

*Grijpt naar zijn hoofd. Kamphuijs steekt
zijn hoofd door het raam naar buiten.*

KAMPHUIJS **Hou even op d'r mee! D'r zijn mensen die
nog wel wakker moeten worden.** *(Nog
steeds gedril. Kamphuijs pakt iets van het
aanrecht en smijt het naar buiten.)* **Hé!**
(Gedril stopt.)

KERSTENS **Jezus Christus.** *(Gedril begint weer.)*
Arbeidsvitaminen!

KAMPHUIJS *(Pakt koffiemok, smijt hem naar buiten.)*
Hou d'r mee op!

KERSTENS *(Pakt grote rode pan.)* **Kom op, lullu, wegwezen…** *(Smijt pan uit raam.)* **Kan-ie ietsje
zachter?**

KAMPHUIJS **Hé! Oké, wacht maar even, wacht maar
even.** *(Pakt krat bier, neemt aanloop en
smijt krat naar buiten.)* **Hé!**

KERSTENS **Wacht even, dit duurt veel te lang, uit de
weg…**

*Pakt stoel, gebaart Kamphuijs uit de weg te
gaan.*

KAMPHUIJS **Het heeft ook helemaal geen nut, man.**

KERSTENS   *(Gaat op stoel voor raam staan.)* O, arbei-
ders, ik word er helemaal ziek van… *(Pist
uit raam.)*

KAMPHUIJS   Pis ze helemaal onder, man!

KERSTENS   Whaha! Zo, daar hebben ze niet van terug
zeker…

KAMPHUIJS   Zo!

KERSTENS   LUL!

KAMPHUIJS   Ga een behoorlijke baan zoeken, man! *(Zet
stoel terug en fatsoeneert kleding.)* Hé,
eneuh… Van Binsbergen, hoe is eh…

KERSTENS   O, Van Binsbergen?

KAMPHUIJS   Hoe is het Van Bins… Binsbergen vergaan
eigenlijk?

KERSTENS   Waar zit Van Binsbergen?
*(Deur gaat open. Van Binsbergen komt be-
schonken en met hangend hoofd binnen.)*

VAN BINSBERGEN   Hé!

KERSTENS EN
KAMPHUIJS   Heeeeeeeeee! Heeeeeeeee!

*Van Binsbergen doet deur dicht, leunt be-
droefd tegen deur aan.*

KAMPHUIJS   Hé! Van Binsbergen, wat is er met jou,
man?

KERSTENS Wat is er, man? Hé!

VAN BINSBERGEN Verliefd, man!

KAMPHUIJS Wa? *(Kijkt even naar Kerstens.)* Ik weet nog van niets, jongen.

VAN BINSBERGEN Ik ben verliefd!

KAMPHUIJS Ben je verliefd, joh?

VAN BINSBERGEN *Maakt triomfdansje met Kamphuijs, handen in de lucht.*
Whehehehehe! Sjakka! Sjakka!

KAMPHUIJS Whaha, lul! Wa?

VAN BINSBERGEN Jezus, man! Nacht, man.

KAMPHUIJS Wat, geneukt?

VAN BINSBERGEN Geneukt?! Man... helemaal rul geragd, kerel!

KAMPHUIJS Jezus, man!

KERSTENS Met wie? Waar?

VAN BINSBERGEN Huhuhu!

KAMPHUIJS Hé!

VAN BINSBERGEN Kanjer, man!

KAMPHUIJS Met wie dan, hé?

VAN BINSBERGEN **Gekmakend, man!**

KAMPHUIJS **Wat?**

VAN BINSBERGEN **Ja met wie, met wie!**

KAMPHUIJS **Ja, met wie?**

VAN BINSBERGEN **Wist ik het maar, ik weet het niet…**

KAMPHUIJS **Nou?**

VAN BINSBERGEN **Het enigste wat ik nog weet… dat ik de twee mooiste billen van m'n hele leven voor me de trap op zag gaan…** *(Spuugt op vingertoppen.)* **Ik spuugde en zo d'r onder…** *(Maakt gebaar.)*

KAMPHUIJS EN
KERSTENS **Naaaaaaaahhh!**

KAMPHUIJS **Van Binsbergen! Nee, lul!**

VAN BINSBERGEN **Geile sodemieter, man**

KERSTENS **Na, goed! Goed!**

KAMPHUIJS **Hé, wie was het dan, hé?**

KERSTENS **Die moet hier dan wel zijn geweest.**

VAN BINSBERGEN **Geil aghweweg.** *(Brabbelt wat.)*

KAMPHUIJS **Geil… geil…**

KERSTENS Hoe… Hoe laat ben je naar boven gegaan, wanttuh, wanttuh… dingetje was al weg, Daniëlle was al weg.

KAMPHUIJS Daniëlle was al weg… Daniëlle was het niet, die was al weg!

KERSTENS Daar heb je het niet mee gedaan.

VAN BINSBERGEN Nee… *(Peinzend.)*

KAMPHUIJS Maar d'r was toch helemaal niemand meer over?

VAN BINSBERGEN Wèèèèl…

KERSTENS Wat een onzin!

KAMPHUIJS Neeeeeeeee… man!

VAN BINSBERGEN Wel!

KAMPHUIJS De laatste is…

VAN BINSBERGEN Een leuk lekker wijf!

KERSTEN Waar is ze… zit ze dan?

VAN BINSBERGEN Z'is douchen!

KERSTENS Wat?

VAN BINSBERGEN Douchen!

KERSTENS Ahhhhhhh! Z's douchen… hé! Hé!

Kamphuijs staat op en loopt naar de deur.

Hé, Kamphuijs, ga jij even checken!

VAN BINSBERGEN *Springt op, houdt Kamphuijs tegen bij de deur.*
Ah, nee, dat vind ik onzin!

KAMPHUIJS Nee, wat?

VAN BINSBERGEN Dat vind ik zo flauw!

KAMPHUIJS Lul, wat?

VAN BINSBERGEN Het is mijn… is… Ik heb nou m'n territo-
riumpje, ja? Is even met die grijpgrage
vingertjes… Gewoon van d'r afblijven,
je krijgt 'r te zien, euh, rustig… rustig,
rustig, rustig!

*Van Binsbergen gaat de deur uit. Kamphuijs
leunt tegen het aanrecht, gaapt.*

KERSTENS Verliefd…

KAMPHUIJS Verliefd! Van Binsbergen, zeker!

KERSTENS Ja, krijgen we dat…

*Van Binsbergen komt binnen, verward,
onrustig, loopt naar het raam.*

VAN BINSBERGEN Ahem… kuch…

KAMPHUIJS Wat'ist?

KERSTENS **Biertje?**

VAN BINSBERGEN **Ja, bier...** *(Loopt naar koelkast, pakt bier.)*

KAMPHUIJS **Wel, is ze... is ze niet goed geworden, of zo?**

VAN BINSBERGEN **Jawel, z'is goed.**

KERSTENS **Is ze uuuh...**

VAN BINSBERGEN **Nwee, z's fijn...**

KERSTENS **O.**

KAMPHUIJS **Wa? He, wa? Wat is er nou, man? Wat loop je nou als een dolle stier door de kamer heen te sodewouden... sodefucker...**

KERSTENS **Neweh.** *(Brabbelt wat.)*

KERSTENS **Is ze soms met onverrichte zaken vertrokken, was ze opeens... was ze opeens minder verliefd dan jij, of wel?**

KAMPHUIJS **Stond ze nou nog onder die douche...**

Verstomt, terwijl een man in badjas de kamer komt binnenlopen. Het blijft even stil. **GATVERDAMME, Van Binsbergen! Ik zeg: GATVER, GATVERDAMME!**

MAN **Noouu, zeg!** *(Spelend met eierklutser.)*

VAN BINSBERGEN *(Huilend.)* **Ik wist het niet, man! Ik wist** het niet… echt nie! Ik zag alleen een paar geile billen!

KERSTENS Hij is écht verliefd!

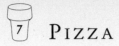

7 PIZZA

Kerstens leest krant. Kamphuijs zit verveeld voor zich uit te staren.

KAMPHUIJS **Lees je?**

KERSTENS **Hè?**

KAMPHUIJS **Hmmm?** *(Gaapt.)* **Ik verveel me.**

KERSTENS **Wat?**

KAMPHUIJS **Hmmm?**

KERSTENS **Ik verveel me.**

KAMPHUIJS **Mm-mmm. 'k Ook.**

KERSTENS **Wat?**

KAMPHUIJS **Hè?**

KERSTENS **Wat zeg je?**

KAMPHUIJS **Zullen we iets bellen.**

KERSTENS Wat?

KAMPHUIJS Hè?

KERSTENS Hè? Iemand bellen, zeg je?

KAMPHUIJS Pizzaatje bellen.

KERSTENS Wat zeg je?

KAMPHUIJS Pizzaatje bellen.

KERSTENS Pizzaatje! Mhwaa, eigenlijk niet echt honger, maar...

KAMPHUIJS Ik ook niet.

KERSTENS Nee, nou.

KAMPHUIJS Kan ik toch nog wel een pizzaatje bellen.

KERSTENS Ja. Ik heb geen honger, maar laten we een pizzaatje bellen, gewoon.

Kamphuijs haalt het menu van de buurt-pizzeria van het prikbord.

KAMPHUIJS Ehhh... Nou, even kijken. *(Belt.)* Hallo? Ja, met... Ja, pizzeria. Ja, dat klopt. Ik heb jullie gebeld. Wat? Kamphuijs. Ja. Ehh... Wat eh... wacht even. Wat wil jij?

KERSTENS Bestaat die nog met die artisjokkenhartjes?

KAMPHUIJS Artisjokkenhartjes. *(Kijkt op menu.)* Quatro Stagioni, gewoon.

KERSTENS Ah ja, die. Nou, doe... Ik wil die...

KAMPHUIJS Wat?

KERSTENS Die met die artisjokkenhartjes.

KAMPHUIJS Ja.

KERSTENS Het kan me niet schelen hoe die heet, maar dan zonder die artisjokkenhartjes.

KAMPHUIJS Ah ja. Hallo? Eh... Pizza quatro stagioni, ja, is die met artisjokkenhartjes? Ja. Die moeten d'r niet in. Nee, nee, capricioso zit geen artisjokkenharten op, hè. Ja, nee, maar die moeten er juist niet bij. Nee, wacht even. Hebben we het over hetzelfde? Een quatro... Hallo, hebben jullie misschien iemand in dienst die al langer dan tien jaar in Nederland woont en een beetje Nederlands kan praten, of niet? Hè? Ja, voor mij, voor mij een quatro stagioni.

KERSTENS Kamphuijs?

KAMPHUIJS Ja?

KERSTENS Bierrr! Bier, ook nog. Er is bijna geen bier meer.

KAMPHUIJS En bier. Hebben jullie dat? Nou, twee sixpackjes, ja. Daar redden we het weer even op. Wat? Sixpackjes. Eh, zespak, eh... Blikjes. Blikjes bier. Ja, twaalf. Twee keer zes. Ja.

— 97 —

KERSTENS   Doe mij maar wel…

KAMPHUIJS   Wat?

KERSTENS   Ham. Toch ham.

KAMPHUIJS   *(In de hoorn.)* **En die quatro sjagioni wordt wel met ham. Ja? Ja, zeker weten? Goed zo, bedankt.** *(Legt hoorn neer.)* **Nou, komt er-aan.**

KERSTENS   Is het gelukt?

KAMPHUIJS   Ik hoop het.

KERSTENS   Goeie god zeg.

Bel gaat. Kamphuijs legt menu neer en loopt naar de intercom.

KAMPHUIJS   **Ja? Si. Si. Ja. Oké, kom maar naar boven.** *(Doet met een druk op de knop de beneden-deur open.)* **Heeft-ie nog lang over gedaan, hè. Honderd meter verderop.**

KERSTENS   Ja.

Er wordt op de deur gebonsd.

KAMPHUIJS   Ja?

PIZZABEZORGER   Pizza.

KAMPHUIJS   Ja, dank je wel. Hé, zet het even op tafel.

Pizzabezorger komt binnen met brommer-
helm op zijn hoofd.

PIZZABEZORGER **De bon erbij. Alstublieft.** *(Telefoon gaat.)*
Ik ben wel op tijd, hè? *(Pizzabezorger gaat*
met zijn brommerhandschoenen pizza's
uitpakken.)

KAMPHUIJS **Mag ik even?** *(Grijpt langs hem heen naar*
de telefoon.) **Ja hoor.** *(In de hoorn.)* **Ja hal-**
lo, Kamphuijs. Hé Robin! Hé. Wat zeg je?
Ja, lullig voor je, hè. Ja. Nee, ja, je had het
nooit achter moeten houden, hè, toch? Ja.
Als je je nou even gedeisd houdt.

PIZZABEZORGER *(Tegen Kerstens, die nog steeds op de bank*
de krant ligt te lezen.) **Heeft u iets van**
bordjes of zo?

KERSTENS **Wat?**

PIZZABEZORGER **Heeft u iets van bordjes?**

KERSTENS **Kijk daar even, man. Spoel even af, anders.**

KAMPHUIJS *(In de hoorn.)* **Ja, lay low for a while. Hè?**
Lay low for a while. Ja.

Pizzabezorger vindt bordjes op aanrecht.

KERSTENS *(Tegen pizzabezorger.)* **Eens kijken. Is dat**
afspoelen?

KAMPHUIJS *(In de hoorn.)* **Een storm in een glas water,**
jonge. *(Zijn oog valt op de pizza's.)* **Wacht**

even, wacht even, wacht even, wacht even, wacht even, wacht even, wacht even, wacht even. Wat is dat? Wacht even. *(In de hoorn.)* Ik bel je zo terug. Wat is dat nou?

PIZZABEZORGER Pizza Cappiosa. Met eh…

KAMPHUIJS Deze is niet besteld.

PIZZABEZORGER Hè?

KAMPHUIJS Deze is niet besteld.

KERSTENS Ik weet niet of jij het ruikt, Kamphuijs, maar ik ruik heel erg duidelijk artisjokken-hartjes.

PIZZABEZORGER Dit zijn artisjokken.

KAMPHUIJS *(Opent tweede pizzadoos.)* Dit is een, ehh… dit is een mira mare, dat heb ik ook niet besteld.

PIZZABEZORGER Ah, weet u wat het op het ogenblik is, m'n familie is over uit Turkije. M'n opa die helpt nu mee in de zaak en, ha ha, omdat hij weet niet wat artisjokkenhartjes zijn, en hij zit het gewoon door elkaar te mixen. Maar ik ga er wat van zeggen, want er zijn meer klachten. Dit gaat mis natuurlijk, maar ja, haha…

KAMPHUIJS Nu hadden we deze niet besteld, hè?

Pakt pizza van hem over en gooit hem uit het raam.

Wat is dit?

PIZZABEZORGER Ja, het spijt me enorm, hoor, want we zitten op het ogenblik met te weinig man en m'n oma en m'n opa helpen mee, en dan gaat er weleens iets mis, maar ik kan het goedmaken. U kunt gewoon een keer bij ons in het restaurant komen eten.

KAMPHUIJS Ik ga liever gewoon dood.

PIZZABEZORGER Dit heeft mijn opa meegenomen. *(Toont plastic zak met twee flessen Chianti.)* Het is… dat is van… Dat komt uit Turkije, die heb daar een eigen cave.

KERSTENS Is dit bier?

PIZZABEZORGER Dat hadden ze doorgegeven.

KERSTENS O nee, hè?

PIZZABEZORGER Haha, ik weet het ook niet.

KERSTENS Nee, hè? Neee.

KAMPHUIJS Weet je wat jij doet? Help mij even. *(Ontkurkt fles.)* Doen we zo.

PIZZABEZORGER Wat een misverstanden, hè? Hahaha. *(Ontkurkt andere fles.)*

KAMPHUIJS En dan doen we zo, hè.

Giet de fles leeg in de gootsteen. Pizza-

bezorger aarzelt even en volgt dan zijn voorbeeld.

PIZZABEZORGER Het is namelijk zo, die hele familie zit nou in de zaak, maar ik ga zelf een eigen zaak beginnen, en dan zult u er geen last meer van hebben.

KAMPHUIJS *(Gooit lege fles uit het raam. Er klinkt kabaal.)* **Zo nou.**

Pizzabezorger volgt zijn voorbeeld.

Geef mij die helm eens, Achmed.

KERSTENS Hebben we ook niet besteld, maar geef maar even aan Kamphuijs.

PIZZABEZORGER *(Geeft helm aan.)* **Wel voorzichtig hoor, want hij is niet van mij, hij is van een collegaatje. Dus…**

KAMPHUIJS Is helemaal getest, hè? Laat's kijken. Nou, da's mooi. Weet je hoe ze die testen bij TNO? Weet je wat dat is, TNO? Nee.

PIZZABEZORGER Is dat die eettent die daar op de hoek zit?

KAMPHUIJS Nee, daar testen ze al dit soort dingen. Waarschijnlijk goed getest, kan veel hebben, hè?

PIZZABEZORGER Ja, want een collega van me is gevallen met zo'n ding, maar die leeft nog.

KAMPHUIJS   Ja. Weet je hoe ze dat testen? Dan gooien
ze gewoon van een hele hoge hoogte, gooi-
en ze hem zo naar beneden. *(Gooit helm uit
raam. Er klinkt kabaal.)*

KERSTENS   En als-ie dan goed terechtkomt, dan is-ie
goed. Het is 'n goeie helm.

KAMPHUIJS   *(Kijkt uit het raam naar beneden. Tegen
pizzabezorger.)* Hecht jij nogal aan je
brommertje, of niet? Ik zie nou toch dat ze
d'r met je brommer vandoor gaan. Kijk…
*(Kamphuijs wijst. Pizzabezorger buigt zich
over de vensterbank naar buiten. Kamphuijs geeft hem een zet en de pizzabezorger
valt het raam uit, waarop een oorverdovend
kabaal volgt.)* Zo.

KERSTENS   Zo.

KAMPHUIJS   Hhèè.

KERSTENS   Ik ruik nog steeds iets raars, hoor Kamphuijs. Volgens mij artisjokkenhartjes.

KAMPHUIJS   'k Weet het niet. Is er niks op tv?

KERSTENS   Ik zal even kijken. *(Bladert krant door.)* Of
het programma hier ergens staat.

KAMPHUIJS   Zal ik weer iets bellen?

KERSTENS   Bel nog eens iets. Ik verveel me een
ongeluk.

8 DISPUUTFEEST

Dansende menigte in zaal. Buiten komt een limousine aangereden. Kamphuijs, Kerstens en Van Binsbergen stappen uit, in smoking, met sigaar, cognac en vergezeld door drie dames. Uit de achterbak halen ze een parkeerwacht, leggen hem op straat en brengen bij hem een wielklem aan.

VAN BINSBERGEN *(Tegen parkeerwacht.)* **Heb je nog lucht, lul.**

KERSTENS **Kom op, we leggen hem op de grond.**

KAMPHUIJS *(Tegen parkeerwacht.)* **Jullie hebben het parkeerprobleem zelf gemaakt.**

KERSTENS **Kom op, er staan mensen te wachten.**

VAN BINSBERGEN **Hé, we bellen zo direct even je vriendjes, oké?**

KAMPHUIJS **Zo, even bezet houden.**

Het zestal komt de feestzaal binnengelopen,

onder begeleiding van het fanfareorkest.
Van Binsbergen, Kerstens en Kamphuijs
stellen zich naast elkaar op.

KERSTENS Ik wou jullie heel hartelijk welkom heten
op dit eindfeest van onze dispuutvereni-
ging Ikarus.

VAN BINSBERGEN Jajajajaja. *(Gejuich en gejoel.)*

KERSTENS En de lijfspreuk van ons dispuut indachtig,
'luctor et ejaculator', wou ik even aan de
mannelijke leden vragen: is er misschien al
iemand die voordat-ie hiernaar toe
kwam… *(Gejoel.)* Dat is dan heel stom van
jullie, want er loopt hier verdomd leuk spul
rond. Als je nu al afgekarnd hebt.

VAN BINSBERGEN Jajajajajaja.

KERSTENS Even samenvattend, eind van het jaar. 't Is
een mooi jaar geweest. Is het een mooi jaar
geweest? *(Samen met het publiek.)* Het is
een MOOI jaar geweest!

Muziek.

Maar, het is ook een woelig jaar geweest.
Het is een… *(Samen met publiek.)* WOE-
LIG jaar geweest.

Muziek.

Goed. Even samenvattend, dit jaar, eh…
Om te beginnen, hebben wij natuurlijk wat

problemen gehad met parkeerbeheer. Waar wij om gevraagd hebben, unlimited parkeren, dat hebben we niet gekregen, eh… *(Boegeroep uit de zaal.)*

KAMPHUIJS Ja, da's heel jammer.

KERSTENS Als Van Binsbergen die ontheffingen beter had nagetekend, dan waren we er eerder uit geweest.

VAN BINSBERGEN Gelul. Gelul. Wat een ónzin, weer.

KERSTENS Maar het zijn natuurlijk allemaal wel, die luitjes van parkeerbeheer, het zijn watjes, en we zitten heel dicht in de buurt van een oplossing van het conflict. Daar wordt op dit moment aan gewerkt. Oké! *(Gejuich. Muziek.)*

KAMPHUIJS Eh, ook leuk natuurlijk van het afgelopen jaar is geweest, een van de hoogtepunten, was natuurlijk ons zesdaagse tripje naar de Molukken, met z'n allen, daar hebben we enorm van genoten, na aanvankelijk wat flauwe grappen, zoals, ehh, op de Molukken is het lekker rukken, en zo, ja, dat is flauw, en bleek er uiteindelijk toch behoorlijk wat te fucken, en, vooral Kerstens, ik denk dat we daar ergens in zo'n hutje zo tegen het voorjaar wel zo'n kerstensje kunnen verwachten. *(Gejuich. Muziek.)* Of zeg ik nou te veel, Kerstens? Hahaha.

KERSTENS Nee, zo'n lekkere crèmekleurige lovebaby.

KAMPHUIJS Haha, ja. Dan is er natuurlijk ook nog iets, maar dat is dan iets minder leuk.

KERSTENS Maar laten we eerst... Van Binsbergen?

VAN BINSBERGEN O wacht, sorry. Ik praat voor mijn beurt.

KERSTENS Je had toch ook nog iets bekend te maken, of niet?

VAN BINSBERGEN Ehh... Ik heb besloten na die kanotocht in de Ardennen te gaan trouwen met Yvonne van Wiarda. *(Muziek. Van Binsbergen danst.)*

KAMPHUIJS Wat zeg je nou, man?

KERSTENS Yvonne van Wiarda? Yvonne van Wiarda?

VAN BINSBERGEN *(Geïrriteerd.)* Ja.

KERSTENS ... Met die wasbever?

VAN BINSBERGEN Dat is een ontzettend aardig wijf. Wat is dat nou voor ónzin!

KAMPHUIJS Als jij denkt dat je daar gelukkig mee bent... moet je vooral...

VAN BINSBERGEN JA!

KERSTENS Hij wordt er gelukkig mee! *(Gejuich. Muziek.)*

KAMPHUIJS Goed zo. Nou, goed, nog een paar dingetjes

op een rijtje. Eh, er is namelijk ook iets minder leuks dit jaar voorgevallen, ik geloof dat iedereen dat wel weet. Eh, Kerstens, er zijn nieuwe ontwikkelingen.

KERSTENS Eh, ja, nou, zoals iedereen bekend is, beetje vervelende zaak, dat eh… de acht, de roei-acht van het concurrerend dispuut Phaeton is gebleken hangende het onderzoek, dat men nog altijd aan het dreggen is, hangende het onderzoek is ook gebleken dat in de wat dooie bocht, in de dooie hoek van het Amsterdam-Rijnkanaal, zouden bepaalde dingen zijn voorgevallen. Het voordeel is daarentegen weer dat niemand het zou hebben gezien, wat precies. Dus wat dat betreft zitten we wel weer goed, eigenlijk.

KAMPHUIJS We hebben sowieso een regeling kunnen treffen met de meeste ouders van de acht die eh… Dus dat komt verder niet boven water en bovendien is de vader van Arend-Jan Boersma…

VAN BINSBERGEN *(Tegen het rumoerige publiek.)* Hé serieus jongens, stil even.

KAMPHUIJS … wacht even, die heeft dat dreggen in handen en die zou het zo veel mogelijk temporiseren.

VAN BINSBERGEN Die getuigenverklaring van die vrouw, die eh… boven de spoorbrug ree' in die trein, eh… hebben we onderzocht dat om zestien uur vijfendertig het onmógelijk is, omdat de zon dan zo laag staat, dat zij die acht daar nog gezien heeft. Afgezien dáárvan is het nog onmogelijk, hebben wij bekeken, dat bij, naast de rails van de spoorbrug maar zó'n gangetje is waar onmogelijk een Trabant naar beneden geflikkerd had kunnen worden. Maar goed.

KAMPHUIJS Het heikele punt is natuurlijk, eh… dat die riem, die roeiriem dan op één van die acht terecht zou zijn gekomen…

VAN BINSBERGEN Ónzin natuurlijk.

KAMPHUIJS Dat is heel simpel uitgedacht, een simpele demonstratie kan dat ontzenuwen.

KERSTENS Ja, en Van Binsbergen zal dat nu even ten overstaan van ons allen demonstreren…

VAN BINSBERGEN *(Stapt naar voren.)* Opzij, jongens, kom op.

KERSTENS … zodat we straks met een gerust hart aan de party kunnen beginnen.

KAMPHUIJS Het is dus zo dat TNO heeft dit model, eh, ontwikkeld op ons aanraden. Het is volkomen wetenschappelijk gebeurd.

VAN BINSBERGEN *(Heeft zich opgesteld naast een houten constructie waarop een roeiriem ligt.)* Goed, nou. Leg het een beetje uit.

KAMPHUIJS Stel: dat is het hoofd, dat nog boven het water uitsteekt.

Laat het hoofd van een paspop aan het
publiek zien en legt dat aan het uiteinde
van de houten constructie.

KERSTENS Typisch het lulhoofd van zo'n lul van de
Phaeton Acht.

VAN BINSBERGEN Oké, dit is dan het hoofd van Jan van
Woerkom.

KERSTENS Het punt is eigenlijk dat als werkelijk een
van ons op het hoofd van een van de acht
van Phaeton zou hebben geslagen, dan
zou je dus nooit dat zonder verwondingen
krijgen. Het punt is dus dat hij moet of
zelf zijn gestruikeld in de boot en op de
roeiriem zijn gevallen, dan wel heeft hij
zichzelf met de roeiriem dusdanig verwond
om ons dispuut in diskrediet te brengen!
(Applaus. Muziek. Van Binsbergen danst.)

VAN BINSBERGEN Wat er nou gebeurt, deze hefboom *(Wijst*
op roeiriem.) zou op het hoofd moeten
komen. Belachelijke zaak, natuurlijk, maar
waarschijnlijk krijg je dus dit effect.

Van Binsbergen laat roeispaan los en deze
komt met een klap op het kunststof hoofd
terecht.

KERSTENS Nou, nou, dat is duidelijk, dachten wij.

KAMPHUIJS Dat lijkt me volkomen duidelijk. Ik zou
zeggen, ehh… zuipen, feesten, dansen,
beentjes van de vloer, pret maken, vooruit

dan maar! *(Orkest speelt 'When the Saints'.)*

Kamphuijs, Kerstens en Van Binsbergen staan in gezelschap te praten.

KAMPHUIJS   *(Tegen twee blonde vrouwen.)* **Zijn jullie gewoon met elkaar hier gekomen of zo?**

VROUWEN   **Ja, jullie ook?**

KAMPHUIJS   **Ja, nou, da's toch leuk?**

De mobiele telefoon van Kerstens rinkelt. Kerstens gaat een metertje verderop staan en probeert zich verstaanbaar te maken boven de herrie uit.

KERSTENS   **Ja, met Kerstens. Wat? Man, kun je niet harder praten? Ik hoor je niet. Hé praat iets harder, stomme kut, schiet op, ik hoor je niet. Ja. Wat? Wanneer? Neeee. Nee, lul niet.** *(Verbijsterd.)* **Waar?**

VAN BINSBERGEN   *(Ergens op de achtergrond.)* **Jajajajajaja…**

KERSTENS   **Ik kan nu niet eh… weg, maar ik kom zo snel mogelijk hierna naar je toe.**

Kerstens verbreekt de verbinding.

KAMPHUIJS   *(Bezorgd.)* **Wat is er gebeurd, man?**

KERSTENS   **Godverdomme hé.**

KAMPHUIJS Wat? Wat?

KERSTENS Mijn vader is overleden, man.

KAMPHUIJS Lul.

KERSTENS Ja.

KAMPHUIJS Nee.

KERSTENS Mijn vader is overleden.

KAMPHUIJS Echt waar?

KERSTENS Ja.

KAMPHUIJS Wanneer? Nu net?

KERSTENS *(Er springen tranen in zijn ogen.)* Nu net.

KAMPHUIJS Lul.

KERSTENS Ja.

KAMPHUIJS Echt waar?

KERSTENS Ja.

KAMPHUIJS Lul.

VAN BINSBERGEN Wat? Wat?

KAMPHUIJS Z'n vader is dood. Bier, hé!

VAN BINSBERGEN Bier hier, zijn vader is overleden.

Een van de vrouwen biedt Kerstens twee
flesjes bier aan.

KERSTENS **Nee laat maar, laat mij maar even.**

KAMPHUIJS **Jezus, man.**

VAN BINSBERGEN **Hartverknettering? Of wat?**

KERSTENS **Nee, laat mij maar even. Zat gewoon in**
zijn stoel bij het raam waar hij de krant zat
te lezen. Kut! Moet ik dat boek ook hele-
maal weer veranderen, van voren af aan
om gaan werken. *(Schiet plotseling in een*
lachstuip.) **LUL! LUL!**

KAMPHUIJS *(Opgelucht.)* **Jezus. Zo ken ik je weer, man.**

VAN BINSBERGEN **Jezus, lul!**

KERSTENS **Zo zou ik toch niet reageren als-ie echt**
dood was, man. Ouwe lul.

KAMPHUIJS **Hij is goed!**

KERSTENS **Bier! Jullie zijn erin gestonken!**

Kerstens komt het toilet binnen met zijn
arm om de schouders van een vriend die
kotsmisselijk is. In het toilet staan een
veiligheidsagent en een jongeman met
een prinselijk voorkomen die het urinoir
gebruikt.

KERSTENS *(Tegen zijn vriend.)* **Jezus, man. Kom op,**

Van Rukhoven. In de grote pot. Gooi het er in één keer uit!

Vriend verdwijnt in een toilethok. Kerstens ziet jongeman bij het urinoir.

Hé! Hé man! Hé lul! Jij hier! Wil je me niet kennen. Hé. Lul! Weet je niet meer wie ik ben? Het gaat goed met jou, hè, geloof ik, Van Buuren, of nie? Je hebt ze nu wel zo'n beetje allemaal gehad, nu, geloof ik, hè. Gaan we nog eens een keer tot een beslissing komen? Hè? Neukt wel lekker weg, hè, op zo'n paleis. Een beetje op de autobaan en op de achterbank en van voren een beetje tegen de vangrail aan schieten en daar die leuter erin hangen, hè. Makkelijk, man. Wat sta je daar nou te doen, man. Wat is dat nou? O. Ja ja ja jaaaa.

Jongeman blijft zwijgen en loopt naar de wastafel om zijn handen te wassen. Kerstens komt erbij staan.

Gaat goed met je, hè. Gaat heel erg goed met jou, geloof ik, hè, de laatste tijd. Niet? 't Gaat elke keer steeds beter, geloof ik, met je, hè. Hoe zou dat gegaan zijn als ik je niet destijds met die scriptie had geholpen? Lul, waar was je dan?

Jongeman loopt weg, gevolgd door veiligheidsagent.

Jezus, man, lul. (*Op de achtergrond klinkt*

gekots.) **Van Rukhoven! Kom op man! Uit-
gekotst!** *(Sleept zijn maatje van het toilet.)*
Wat een lul, zeg.

Kamphuijs, Kerstens en Van Binsbergen
staan te dansen op het podium en heffen een
lied aan.

KAMPHUIJS Het beste, uit alle goeds van dit bestaan,
dat is mijn streven.
Want er is zo weinig tijd, hé, en het leven
duurt maar even.
Je moet altijd zorgen de dag van morgen
voor te kunnen blijven,
want er is te weinig bier, te weinig tijd, te
weinig wijven.

ALLEN Heb je nog geneukt, hé Lullo.
Heb je nog geneukt, hé Lullo.

KAMPHUIJS Een biertje met Jan-Diederik, van bil met
Madeleine,
die zich gaan laat als een bouwvakker qui
fait l'amour sans gêne,
die zich klem zuipt als een tegel, die je
zuigt met lange halen,
zich laat nemen als een hoer, terwijl ze
schreeuwt in alle talen.

ALLEN Heb je nog geneukt, hé Lullo.
Heb je nog geneukt, hé Lullo.

Muziek gaat door.

KAMPHUIJS Hé Van Binsbergen.

VAN BINSBERGEN Ja?

KAMPHUIJS Ehh... Kerstens en ik hebben nog een
verrassing voor je in petto.

VAN BINSBERGEN **Zo.**

KERSTENS **Ja, ja. Je gelooft het niet, hè lul.**

VAN BINSBERGEN **Wat? Wat geloof ik niet?**

KAMPHUIJS **Je gelooft het niet. Dat we een verrassing voor je hebben.**

VAN BINSBERGEN **Jajajajajajaja.**

KAMPHUIJS **Nee, man. We hebben echt een verrassing voor je.**

VAN BINSBERGEN **Wa' dan?**

KERSTENS **The Piggy of the Year contest.**

KAMPHUIJS **Ja, the Piggy of the Year contest.**

VAN BINSBERGEN **Wat?**

KERSTENS **Nou, hoor je zo wel, hoor je zo wel.**

Beach Boys-achtig achtergrondkoortje klinkt.
Heb je nog geneukt, hé Lullo?
Heb je nog geneukt, hé Lullo?

KAMPHUIJS: **Je zet je aan een late pizza want je eet toch graag nog iets.**
Nadat je – honger, rauwe bonen – een varken uit hebt liggen wonen.
Ze was de enige voorhanden, een snelle veeg met lange tanden.

Een trap de deur uit, hé we bellen,
bordkarton met mozzarella.

ALLEN Heb je nog geneukt, hé Lullo?
Heb je nog geneukt, hé Lullo?

KAMPHUIJS Oké, Van Binsbergen, kom op. Hé, kom op.
Binsbo, kom op man. Wacht even. Kom op,
een verrassing.

KERSTENS Ja ja ja ja ja ja.

VAN BINSBERGEN Nee... neeneeneeneeneenee.

Kerstens staat klaar met een tutu.

KERSTENS Kom op, doe dat ding aan.

KAMPHUIJS Ja, 't is leuk, Van Binsbergen, kom op,
man. Even sportief, hè? Even sportief zijn.

Gejoel uit publiek.

KERSTENS Oké, da's goed.

*Er staat een poppenkast met gesloten gor-
dijntjes in de feestzaal. Van Binsbergen
moet daarachter plaatsnemen, met de
gordijntjes ter hoogte van zijn kruis.*

KAMPHUIJS *(Tegen Van Binsbergen.)* Kom even hier
achter staan, hier achter staan. Doe het
deurtje maar dicht.

VAN BINSBERGEN Jajajajaja.

KAMPHUIJS EN **Nee, kom op nou, even meespelen.** *(Publiek*
KERSTENS *valt hen bij.)*

KAMPHUIJS **Zet deze even op.**

*Van Binsbergen moet varkenssnoet uit
carnavalswinkel op zijn hoofd zetten. Hij
sputtert tegen.*

**Beetje sportief. Kom op nou, Van Binsber-
gen.** *(Gejoel.)* **Oké, oké, oké, oké, oké. Nou,
dan zal ik uitleggen waar het allemaal voor
bedoeld is. We hebben namelijk wat inlich-
tingen ingewonnen bij diverse dames,
Machteld onder anderen,**
(Tegen Van Binsbergen.) **zegt je dat wat?
Machteld? Haha. En Madeleine hebben we
gevraagd.**

VAN BINSBERGEN **Jajajajajaja.**

KAMPHUIJS **Ja, en Conny hebben we gevraagd. En nou
blijkt dat we ontzettend veel klachten binnen hebben gekregen dat jij een ontzettend
kleine lul hebt.** *(Gejoel.)*

VAN BINSBERGEN **Ónzin.**

KAMPHUIJS **Ja, weet ik ook niet, maar dat zeggen de
dames. Dat zeggen de dames, hè. Dus...
Nou is daar wel wat aan te doen...**

KERSTENS **Nou is daar wel wat aan te doen. We hebben de vader van Renaut, die ken je wel,
dat is een soort gynaecoloog-uroloog, zo'n
ombouwer zeg maar...**

VAN BINSBERGEN Jajajajajaja.

KERSTENS Die kan nog van een losse bos schaamlip-
pen, kan die nog een lul boetseren, hè? Die
gaat er gewoon heel fijn aan werken, dat is
een beetje, ja, het duurt dus een halfjaar,
een jaartje, met gewichten en dat soort
dingen…

*Van Binsbergen probeert uit de poppenkast
te ontsnappen, maar Kamphuijs houdt hem
tegen.*

… maar dan over een jaar om deze zelfde
tijd heb jij, Van Binsbergen, net zo'n
gigantische toplul als Kamphuijs en ik. Oké!

KAMPHUIJS Het is lastig om dan gedag te zeggen tegen
je ouwe pielemuis, za'k maar zeggen…

VAN BINSBERGEN Ónzin.

KAMPHUIJS Maar dat doen we in stijl.

VAN BINSBERGEN Ik ga 'm toch niet afsnijden.

KAMPHUIJS Maar dat doen we in stijl. Je moet gewoon
even, laat even je broek zakken.

PUBLIEK Broek uit, broek uit!

KAMPHUIJS Ja. Laat maar zakken, laat maar zakken,
helemaal laten zakken. Ja zo, onderbroek
ook.

VAN BINSBERGEN Onzin, man.

KAMPHUIJS Ja, onderbroek ook, man, kom op. Even
laten zakken.

*Van Binsbergen trekt ook onderbroek
omlaag.*

KERSTENS *(Kijkt.)* 't Is echt heel erg.

KAMPHUIJS Het is leuk om ter afscheid dan een aantal
dames de gelegenheid te geven om nog één
blik te werpen op Van Binsbergens ouwe
piel. Dames, omstebeurt. Kom op, jongens,
in een rijtje. Kom op, kom op.

*Vrouwen kijken één voor één achter het
gordijntje.*

KERSTENS Iedereen wil 'm wel zien.

KAMPHUIJS Nou, jullie komen er wel uit, met z'n allen.
Wij gaan nog een biertje halen.

KERSTENS Toe maar dames, ga maar kijken!

*Kamphuijs rookt sigaartje en staat mistroos-
tig tegen muurtje geleund.*

JONGE VROUW Gaat het wel goed met jou, joh?

KAMPHUIJS Nee, het gaat helemaal niet goed met mij.
Voor mij is de lol d'r af.

JONGE VROUW Wat is er aan de hand dan? Het ziet eruit

alsof je ziek bent, of zo. Wat is er?

KAMPHUIJS Mijn vader is overleden, dus eh… een uur geleden.

JONGE VROUW Joh, wat afschuwelijk!

KAMPHUIJS Ja.

JONGE VROUW Moet je daar niet naartoe dan?

KAMPHUIJS Nee, dat heeft geen nut. Ik verwerk mijn verdriet liever hier.

JONGE VROUW O, wat vreselijk. Wil je wat van me drinken dan? *(Kamphuijs slaat arm om haar schouders.)* Wil jij iets drinken? Jezus mina. Hoe is dat gebeurd dan?

KAMPHUIJS Nou ja, het is net gebeurd, een uur geleden.

JONGE VROUW Was-ie ziek?

KAMPHUIJS Nee, zo, plotseling. Hartstilstand.

JONGE VROUW O. Wat naar.

KAMPHUIJS Hé, je hebt mooie borsten, weet je.

JONGE VROUW O, ja.

KAMPHUIJS Mijn vader, die hield ook heel erg van mooie borsten.

JONGE VROUW Ja?

KAMPHUIJS **Ja, echt waar, echt waar.**

JONGE VROUW **Jeetje, wat toevallig dan.**

KAMPHUIJS **Ja. Mooie lippen ook. Mijn vader hield ook van mooie lippen.**

JONGE VROUW **O. Maar, maar, wil je niet iets van me drinken?**

KAMPHUIJS **Ja, we gaan iets drinken.**

JONGE VROUW **Wat wil je hebben?**

KAMPHUIJS **Eh... biertje of zo.**

Kamphuijs en de jonge vrouw lopen samen weg in de richting van de bar. Van Binsbergen dwaalt wat verloren rond.

JONGE VROUW *(Bij de bar.)* **Maar wat afschuwelijk. Hoe kan ik je blij maken dan?**

KAMPHUIJS *(Half huilend.)* **Nou, weet je, het is heel gek, maar mijn vader kon blij gemaakt worden...** *(Fluistert iets in haar oor.)*

JONGE VROUW **Joh.** *(Er verschijnt een glimlach om haar lippen.)*

KAMPHUIJS **Hèhè.**

JONGE VROUW **Nee.**

KAMPHUIJS **Ja... eh.**

JONGE VROUW **Je vader?**

KAMPHUIJS *… (Mompelt iets. Vlijt dan zijn hoofd tegen haar borst.)* **… uithuilen, of zoiets dergelijks.**

JONGE VROUW **Nou ja, als dat je helpt.**

KAMPHUIJS *(Drukt zich tegen haar aan en praat steeds omfloerster.)* **… om het nog enigszins te verwerken… Ja, dit helpt. Ja, dit helpt.**

Het feest is in volle gang. De BigBand speelt zich de blaren op de lippen. Terug bij de bar is Kamphuijs blijkbaar te ver gegaan. De jonge vrouw begint hem uit te schelden en te slaan, waarna ze langdurig op hem inbeukt met de hak van haar schoen. Kamphuijs krabbelt ten slotte overeind en beklimt met bebloed gezicht het podium. De saxofonist zet een melancholieke melodie in en Kamphuijs begint te zingen.

Er zit een haar in mijn glas,
de grond is een tapijt van peuken.
Ik wou dat jij nu hier was,
om je stevig in je reet te neuken.
En doe maar niet net of je dat niet wil,
je weet net zo goed als ik dat je het liefst
                 hebt dat ik je verneder.
Want baby, je genoot toch ongewild elke
keer dat we het op die manier met elkaar
                        deden.

Er zit een haar in mijn glas,

nu ik weer aan je denk krijg ik spontaan
                        een stijve,
er zit hier een hoer met één been en ik hoor
mezelf vragen of ik bij d'r mag blijven.
En hoe het behang hier is afgebladderd is
nog spic en span vergeleken met de staat
                        van mijn hersens.
En ik stel die spuithoer hier iets voor, maar
wat denk je, ze weet nog iets veel perver-
                        sers.
En ik laat het met me doen,
in ruil voor een echte zoen.
Een echte zoen in al zijn eenvoud.
Dat is het enige wat me hier nog op de been
                        houdt.

*Het Wilhelmus klinkt. De hele zaal zingt
mee. Kamphuijs moet kotsen en valt ten
slotte bewusteloos neer.*

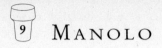

9 MANOLO

Spaanse muziek klinkt. Het is midden in de nacht en Kamphuijs staat in zijn eentje te dansen op een Spaans dorpsplein. Op de achtergrond hangt wasgoed.

KERSTENS *(Steekt zijn hoofd uit het raam op een bovenverdieping.)* Hé, kan die wat zachter! Er zijn hier gewoon mensen, die willen slapen of zo.

KAMPHUIJS Hé! Hé… Wout, hé!

KERSTENS Robert-Jan! Robert-Jan! Hoe gaat het met jou?

KAMPHUIJS Wat doe jij hier nou?

KERSTENS Hoe kan dat nou?

KAMPHUIJS Wat?

KERSTENS Wat doe jij in dit gat, man, lul.

KAMPHUIJS Jezus man, weet ik veel, twee dagen gelo-
pen of zo.

KERSTENS Godverdomme. Kut, ik kom naar beneden,
weet je wel.

KAMPHUIJS Jezus man. Is wel het laatste dat ik
verwacht had of zo.

KERSTENS *(Komt trap afgelopen.)* Hoe ben je hier
gekomen, man?

KAMPHUIJS Man, weet ik veel, na twee dagen ruzie
gekregen met Lydia, man. Gewoon achter-
gelaten. Ik ben gewoon gaan lopen en toen
ben ik hier terechtgekomen.

KERSTENS Niet te geloven.

KAMPHUIJS Hé ouwe pik. Hoe is-ie?

KERSTENS Te gek. Jij hier. Hoe is-ie?

KAMPHUIJS Hé te gek. Leuk. Hoe is het met jou?

KERSTENS Ik zit hier boven.

KAMPHUIJS Wat, hier?

KERSTENS Ja, gewoon bij zo'n gek mannetje.

KAMPHUIJS Wat, hier?

KERSTENS Ja.

KAMPHUIJS   Nee, gek.

KERSTENS   Gewoon zo'n lul, jongen, betaal je wat pe-
seta's, maakt helemaal geen reet uit. Hier
boven.

KAMPHUIJS   Is het een hotel of zo?

KERSTENS   Nee, gewoon een kamer huren.

KAMPHUIJS   Wat? Hier?

KERSTENS   Ja, hierboven.

KAMPHUIJS   Jezus, man. Echt waar?

KERSTENS   Ja. Moe je ook doen. Als je ziet wat je voor
een hotel kwijt bent, dan betaal je vier keer
zoveel. Is gewoon te duur, ja.

KAMPHUIJS   Heb je nog wat te drinken of zo?

KERSTENS   Ja, moeten we gewoon even bestellen.
Kijk, Marie-José die ligt boven. Die is toch
ongesteld.

KAMPHUIJS   O ja.

KERSTENS   Heeft hoofdpijn.

KAMPHUIJS   Jezus. Klote voor je, ja.

KERSTENS   Heeft geen zin, snap je.

KAMPHUIJS   Bestel even wat te drinken, man, hier.

KERSTENS   Manolo is altijd op, jongen.

KAMPHUIJS   Wie?

KERSTENS   Hoe laat is het? Hoe laat is het? Hoe laat
            leven wij nu?

KAMPHUIJS   Kwart over vier, gek.

KERSTENS   Kunnen we nog wat drinken. Hij doet het
            altijd. Manolo!

KAMPHUIJS   Hé Manolo! Is-ie nog binnen, of zo?

KERSTENS   Ja, hij is er gewoon wel. Hé, kom op, wak-
            ker worden, lul!

KAMPHUIJS   Hoehoe!

KERSTENS   Joehoe! *(Trapt tegen raam.)* Kom op!
            Drinken! Kom op!

KAMPHUIJS   Manolo! Is er wat te zuipen of zo? Zakko,
            kom op nou! Zakko van der Made. Kom op
            hé!

KERSTENS   Hé Manolo! *(Gooit stoel tegen bovenver-
            dieping, die daar aan een luik blijft hangen.
            Een andere stoel gaat dwars door een gla-
            zen deur.)* Hij kan ook te gek gitaarspelen.
            Lul! Kom op nou, we willen wat drinken.
            Manolo! *(Begint te zingen op zijn pseudo-
            Spaans.)* Aiaiai, aiaiai. Kom op nou, Mano-
            lo. Lul! Kom op nou, wakker worden!

KAMPHUIJS   Hé, daar is-ie! We willen wat drinken! Hé ouwe lul!

Manolo komt te voorschijn met fles wijn en twee glazen.

KERSTENS   Een heel gek mannetje. Dit is wijn uit de streek en aan de playa betaal je daar vier keer zo veel voor.

KAMPHUIJS   Ja, geef maar hier. *(Tot Manolo.)* Eh... muy bien, Manolo. Hé ouwe reus, hé.

KERSTENS   *(Tot Manolo.)* Ouwe lul, ouwe rukker. Wat lach je, lag je een beetje je vrouw te naaien, een beetje heen en weer te...

KAMPHUIJS   Ja. Ja. Hèhè.

KERSTENS   Waar zitten we nou op te wachten? Beetje musica, gitaartje spelen?

KAMPHUIJS   Ja, ga even gitaar spelen. Molo, Molo, Manolo...

KERSTENS   Hij speelt gitaar, echt waar, jongen, dat is ongelooflijk. De hele dag, als hij niet op zijn vrouw ligt te hengsten. Echt waar, jongen...

Manolo komt terug met gitaar.

KAMPHUIJS   Je hebt een mooie gitaar, Nolo. Yes, man.

KERSTENS   Kom op, spelen, man. Lul.

KAMPHUIJS   Kom op, Manullo, speel eens een stukkie. Dan ben je een beste vent.

Manolo begint te zingen.

KAMPHUIJS   Hèhè.

KAMPHUIJS EN
KERSTENS   Olé!

KERSTENS   *(Tegen Manolo.)* Ben je dronken of zo? Ben je dronken?

KAMPHUIJS   Hè nee, niet doen, nee. Gewoon, laat hem nou even spelen, hé. Ja, Ja. Hé, kom eens hier met die gitaar. *(Gooit glas wijn in de fontein.)*

MANOLO   *(In gebroken Nederlands.)* Voor-zich-tig.

KERSTENS   Laat Robert-Jan maar even.

KAMPHUIJS   *(Neemt de gitaar van hem over.)* Als je gitaar speelt, hè, moet je kijken, pak je die gitaar zo, zeg maar, hé…

KERSTENS   Robert-Jan, niet doen hoor.

KAMPHUIJS   Wacht even. Ik zie hier… Wacht even, man. Nou, weet je hoe een Spaanse gitaar het beste klinkt?

KERSTENS   Ik moet hier nog een week blijven. Niet dollen, nu.

KAMPHUIJS Zo klinkt-ie 't best! *(Slaat de gitaar stuk.)*
Hé Lullo! Lekker gitaartje, hoor!

KERSTENS *(Moet lachen. Tegen Manolo.)* Dat is
Robert-Jan uit Holland.

KAMPHUIJS Ik vond het heel goede muziek die je
maakt, hé. *(Slaat arm om Manolo heen.)*
Misschien moet Manolo nog wat drinken.
(Tegen Kerstens.) Wat denk jij eigenlijk?

KERSTENS *(Tegen Manolo.)* Heb je al te veel gedron-
ken of gaat het nog wel?

KAMPHUIJS Zullen we hem even wat te drinken geven?
Neem wat te drinken, Manolo.

*Kamphuijs en Kerstens duwen Manolo met
zijn hoofd in de dorpsfontein.*

KAMPHUIJS Is het lekker?

KERSTENS Hoe gaat-ie? *(Manolo's hoofd wordt weer
uit het water getrokken.)* Je houdt toch zo
van tapas? Hier, eet die visjes maar op.
Slikken!

*Kamphuijs en Kerstens duwen Manolo
nogmaals met zijn hoofd onder water.*

KAMPHUIJS Ja, daar gaat-ie weer. *(Begint pseudo-
Spaans te zingen.)*

KERSTENS Musica!

*Er klinkt een pistoolschot. Kamphuijs stort
in slow motion op de grond.*